열일하는

파곰기사

열일하는 과금 기사 10

초판 1쇄 발행 2022년 7월 29일

지은이 ı 박건
발행인 ı 신현호
편집장 ı 이호준
편집 ı 송영규 최종건 정재웅 양동훈 곽원호 조정범 강준석 최성화
편집디자인 ı 한방울
영업 ı 김민원

펴낸곳 ı ㈜ 디앤씨미디어
등록 ı 2002년 4월 25일 제20-260호
주소 ı 서울시 구로구 디지털로 26길 111 JnK디지털타워 503호
전화 ı 02-333-2513(대표)
팩시밀리 ı 02-333-2514
E-mail ı papy_dnc@dncmedia.co.kr
블로그 ı blog.naver.com/gnpdl7

ISBN 979-11-364-3542-2 04810
ISBN 979-11-364-2823-3 (SET)

박건 판타지 장편소설
10
Papyrus Fantasy Story
열일하는
파문기사
PAPYRUS
파피루스

chapter1.

자본주의 황제

chapter1.
자본주의 황제

[어디 보자, 밀리신 세금이 총…….]

그것은 냉정하고, 잔혹하고, 싸늘한 목소리였다.

[2,187억 4,432만 321원입니다.]

"……."

34지구의 세법은 매우 단순하다.

벌 때, 그리고 쓸 때.

벌 때 가장 세금을 심하게 떼는 경우는 복권이나 뽑기 등의 불로소득(不勞所得)이고, 쓸 때 가장 세금이 심한 건 재산을 물려주기 위한 증여(贈與) 쪽.

'딱 이 정도만 알아도 세금에 대해서는 대체로 아는 편이지.'

다른 문명의 세금법처럼 이유가 없다. 정의신과 진실신

이 두 눈을 시퍼렇게 뜨고 있는 34지구에서는 불법적인 탈세가 불가능하기 때문이다.

'2,000억.'

때문에 34지구 사람들은 아무리 세금이 많아도 다 내는 편이지만.

'2,000억…….'

땅이 흔들리는 듯하다. 정신이 아찔하고 온몸에 힘이 빠진다.

'아니, 어쩌다 2,000억이?'

당혹감이 밀려왔지만, 가만히 생각해 보니 이유를 짐작하기는 어렵지 않다.

34지구 소득세는 소득이 높을수록 높아지며, 최종적으로는 55%에 이르기 때문이다.

'국가가 나한테 뭘 해 줬다고 반이나 뜯어 가나!'

……라는 불평이 절로 나오지만 사실 많은 걸 해 주기는 했다. 사실 우주 어디를 가도 여기만큼 세금을 잘 써주는 세상은 없을 것이다.

[한재연 씨?]

"아…… 네. 이해했습니다. 언제까지 납부하면 될까요?"

[이번 달 말일까지 부탁드립니다. 또 연체하시면 2.5%의 이자가 붙습니다.]

2.5%면 50억이다.

"……."

통화가 끝나고 아무도 없는 방에서 잠시 멍하니 있었다.

진짜 치사한 생각이 들었다.

'아…… 오룡이한테 내 달라고 할까?'

가능할 것 같다.

성적인 매력이 폭발하는 누님을 마주한 고등학생처럼 그녀들은 내 앞에서 이성적이지 못하다. 내가 애교라도 떨면서 부탁하면 2천억이 아니라 2조라도 내주겠지.

그러나.

"아, 아무리 그래도 황제가 그건 좀……."

무슨 스폰을 받는 것도 아니고 그러기는 싫다. 최소 거래 정도는 되어야지 그냥 받는 건 자존심 상하는 일.

'게다가 간이고 쓸개고 다 내줄 것 같은 태도를 보인다고 그녀들이 바보인 건 아냐.'

2억, 20억도 아닌 2,000억을 대신 내주게 된다면 나와 그녀들 사이의 관계에는 반드시 문제가 생긴다. 관계란 상대적이기 때문이다.

물론 돈이 없다면 그런 선택지라도 골라야겠지만.

이렇게 덜덜 떤다고 내게 2천억이 없는 건 아니다.

"2,000억이…… 넘지 솔직히."

가슴이 쓰리지만 이건 정말 방법이 없다. 불법 탈세라는 개념이 삭제되다시피 한 34지구에서 과세를 피할 수는 없으니 회피는 불가능하기 때문.

다만 합법적인 절세라면 가능하다.

'용병 생활을 위해 쓴 돈을 환급받는다거나…….'

그러나 나는 용병 일을 위해 만 원 한 장 쓴 역사가 없다. 기가스를 사지도, 관리하지도, 마법 물품을 구매하지도 않았다. 식비와 교통비도 없고, 있다 하더라도 그런 것 따위는 이 어마어마한 세금에 기스조차 내지 못한다.

'아니면 기부를 한다거나…….'

그러나 세금 내기 싫다고 한 기부가 효율이 더 높을 리가 없다.

내가 기부 단체를 만들어 거기에 돈을 넣어 마음대로 운영한다면 또 모르지만 그런 짓을 하면 정의신관과 진실신관이 신나서 달려들 것이다.

"결국…… 답은 하나네."

그래 사실 고민할 필요도 없었다.

내가 세금이라는 존재 자체를 잊고 있었을 정도로 뛰어난 '절세' 방법이 있었다.

-마침내 초월의 경지에 올라 인간의 몸으로 하늘에 오르나니.

-신이여. 용서하소서.

[모두 칭송하십시오. 36번째 신화가 지금 이 자리에 탄생하였습니다.]

[그의 이름은 킬리언스.]

[지금 이 시각부로 24시간 동안 모든 사냥터에 경험치 100퍼센트 버프가 주어집니다.]

[다시 한번 안내해 드립니다. 36번째 신화가 지금 이 자리에 탄생하였습니다.]

몰려드는 먹구름. 울리는 종소리에 사냥터로 달려가던 플레이어들의 발걸음이 멈춘다.

↳사과냥이폰 : 뭐여 왜 또 시작임?

[아름다운 모습은 신의 모습. 황홀한 목소리는 신의 음성이니.]

[분노의 목소리로 신의 분노를 노래하라.]

[그랜드 엔젤(신화)]

↳뛰뛰빵빵 : 아니 신화 클래스는 왜 또 뽑는 거야? 이제 거의 다 중복 아님?

↳간식먹어개포동 : 저 미친놈은 누구야?

↳핫바디 : 그분은 바로 한재연 님이십니다. 세계의 이해자 아트만이시자 절대 고수이시고 극의지체의 완성자이시자 다섯 드래곤을 홀린 매력남이십니다.

↳핫바디 : 그야말로 리벤지의 신. 그리고 저는 바로 그

분을 죽인 신살자입니다.

↳간식먹어개포동 : 이건 또 뭐하는 미친놈이고?

[나는 한 줌 재에서 다시 태어나리니.]

[이는 영원불멸의 증명이요, 제국의 수호자이니라.]

[피닉스 나이트(신화)]

↳사과냥이폰 : 또 중복이야! 여러분! 허공에서 돈이 터지고 있습니다!

↳포세이돈 : 아니 뭐하는 거야…… 심지어 한재연 님은 화점 보유자도 아니잖아요. 왜, 왜 다이아를 태우는 거죠?

↳부캐중의부캐 : 전에 예능에서 봤는데. 저게 차크라 수련 방식? 혹은 부작용이래요.

↳포세이돈 : 아니 뭐 이런 미친 부작용이 다 있어요?

마구 지른다. 제로섬을 활용할 것도 없다. [과금력]은 과금을 할 때 쌓이고 아이템을 아르데니아로 가져갈 때, 혹은 현실로 꺼냈을 때 소모되기 때문에 확률 자체에 목숨 걸 필요가 없는 것.

하지만 그렇게 초탈한 마음 때문일까?

뽑기 확률이 너무 좋다.

[일검이 천지를 갈랐을 때.]

[나는 마침내 검 한 자루로 신화를 이루어 냈음을 알았다.]

[검신(신화)]

↳포세이돈 : 중복 멈춰!

↳알릭스 : 멈춰!

↳기립 : 와 미친. 끝이 안 나네…… 지금 얼마치를 태우고 있는 거야?

↳군필마도사 : 확률적으로…… 한 300억?

↳풍림화살 : 하지만 지금 결과가 무과금 아님? 아무리 26살에 트리플 초월자라도 그렇지…… 300억을 그냥 허공에 태울 정도 돈이 많다고?

[하늘의 별빛이 떨어져 산이 쪼개지니.]

[어느 날 한 줄기 빛이 되어 하늘로 승천(昇天)하노라.]

[유성룡(流星龍)]

↳포세이돈 : 아이 미친. 펫도 뽑네.

↳핫바디 : 설마 오늘…… 그 말로만 듣던 컬렉션 100%를 보게 되는 건가?

↳칼스파닉 : 아니 그거 확률적으로 불가능한 거 아니었음? 수천억을 박지 않는 이상…….

[번개의 왕. 하늘을 가르는 천둥.]
[뇌신이시여. 벼락의 새여.]
[뇌신조 썬더버드(신화)]

↳알릭스 : Holy shit! 수호령까지?
↳포세이돈 : 아니 미친 수천억 박을 기세 아님? 정신 나갈 것 같아! 정신 나갈 것 같아! 점심 나가서 먹을 것 같아!

채팅창이 난리가 나고 있을 즈음이다.
야옹! 야옹!
또다시 차단으로 가득한 체다가 울었다.
"여보세요?"
[안녕하세요, 한재연 님. 금융감독원 중급 감독관 차상주입니다. 질문 몇 가지만 드리겠습니다. 오늘 진행된 리벤지 결제는 누군가의 강압, 제안이 아닌 본인의 선택이신가요?]
"예. 제가 필요해서 소비 중입니다."
[아…… 확인 감사드립니다. 중급 감독관 차상주였습니다. 즈, 즐거운 과금하세요.]
"감사합니다."
통화를 마치고.
이번에는 상자를 깐다.

[신화의 위대한 조각이 완성되었나니.]

[이는 세상과 맞먹을 위상(位相)이라.]

[킬리언스 님께서 판금장갑. 스페이스 건틀렛(신화)+9을 완성하셨습니다!]

↳포세이돈 : 상자깡으로…… 하루 만에 신화 장비를 뽑아? 주무기도 아니고 장갑을?

↳기립 : 선생님. 선생님은 효율이라는 게 뭔지 모르십니까?

↳알릭스 : 두려워져요…….

↳군필마도사 : 지금 쓴 돈이…… 3,000억이…… 넘은 거 같은데.

↳차노아 : 와. 경험치 중복 리얼 실화냐? 몬스터 한 마리 잡았는데 경험치가 0.1% 가까이 오른다.

↳과금하는아씨 : 미친……

미친 듯 쏟아지는 채팅 내역을 보다 잔고를 확인한다.

자유저축 예탁금(G-뱅크 1173-5511)

7,800원.

"슬슬 되나?"

나는 체다를 두들겼다.

통화는 금방 연결되었다.

[……네. 국세청 상급 사제 청아입니다.]

"안녕하세요. 죄송하지만 제 세금이 얼마나 남았는지 확인할 수 있을까요?"

[…….]

체다 너머의 상대는 잠시 말이 없었다.

아무래도 그들 역시 지금 상황을 파악하고 있는 모양.

결국 참지 못한 신음이 터져 나온다.

[이런 미친…….]

"네? 뭐라고요?"

[아뇨…… 남은 세금이…… 1,700만 원입니다…….]

"그렇군요. 잠시만요."

가진 돈을 다 썼음에도 세금이 남았지만, 전혀 문제 되지 않는다.

지잉.

방문을 열고 밖으로 나가자 근처에서 어슬렁거리고 있던 루비가 활짝 웃으며 다가온다.

"재연아! 같이 운동할래?"

"그러지. 아 맞아. 나 2,000만 원만 빌려 줄래?"

"아니 2,000만 원을 뭘 빌려 줘? 그냥 줄게. 무슨 일인데?"

"아. 세금 때문에."

그녀들에게 큰돈을 받는 것은 관계를 어그러트리는 위

험한 일이지만 '푼돈'의 경우는 다르다.

친한 친구에게 천만 원을 빌려주는 건 천만 원도 잃고 친구도 잃는 위험한 일이지만.

천 원을 빌려줬다면 그걸 굳이 갚으라는 쪽이 쪼잔한 놈이다.

아니면 친한 친구가 아니거나.

"보냈어!"

"고마워. 어디 보자…… 완료. 납부했습니다."

뒤를 돌아보며 말하자 내 뒤를 따라오던 체다에게서 떨리는 목소리가 들린다.

[언제나…… 성실한 납세 활동에…… 감사드립니다.]

넋이 나간 상대와의 통화를 끝내고 루비와 함께 트레이닝실로 향한다.

"오늘은 하체 하자. 하체!"

"좋지."

그렇게 말하며 생각한다.

'주식은 글렀군.'

오랜만의 과금은 신명 났지만 어쨌든 내 계획은 뭉그러지고 말았다. 다시 거지가 되었으니 한동안 네메시스 주식은 구경도 못하리라.

그리고 그렇게 된 이상.

'그 이상을 뽑아내야지.'

"재연아?"

"아, 잠시 다른 생각 좀 하느라고."

나는 루비와 함께 즐겁게 훈련을 마친 후 흑요와 무공에 관해 토론하는 등 언제나와 같은 일과를 보냈다.

한 번 정색하고 이야기를 한 이후 오룡 멤버는 예전처럼 육탄 돌격을 하며 유혹하거나 하지는 않았다. 그저 가끔 의미심장한 시선을 보낼 뿐.

그리고 그날 저녁.

"로그인."

아르데니아로 들어간 나는 집무실에서 인벤토리를 열었다.

그리고 그 안에 있는 아이템을 꺼냈다.

스페이스 건틀렛(신화)+9

방어력 +45

자동 방어 +5

치명타 확률 +15%

스킬 데미지 증폭+35%

"스텟은 다 쓸모가 없구먼."

현실의 내게 [방어력]의 보정은 별 의미가 없다. 게임에서처럼 비율로 적용되지 않기 때문이다.

얇은 방어막이 생긴다고 할 수 있는 약간의 보정은 초월자인 나에게 아무런 쓸모가 없는 종류. 치명타와 자동 방어는 구현도 안 되고 스킬 데미지 증폭도 스킬보다 현실의 기술을 쓰는 내게 아무런 의미가 없다.

스스로 강기를 만들 수 있는 지금 스킬 북으로 익힌 강기를 왜 쓰겠는가?

그러나 특성은 다르다.

[초월 무구]

[자유간격]

[초월-선제공격(先制攻擊)]

[범위증가(궁극)(패시브)]

재질 : 진(眞). 아다만티움(손상 불가)(신성)

"아, 너무 아름답다……."

신화급 무기가 공유하는 초월 무구 특성이야 기본이라 치더라도.

[자유간격]과 [초월-선제공격] 특성은 무기도 아닌 장갑에 달려 있기에 너무나 호화로운 특성이다.

거기에 9강화 효과로 붙은 [범위증가]는 마법사용 지팡이에나 달려 있는 특성인데 그게 장갑에 달렸다.

"그래. 이쯤 되어야 신화 장비지."

아르데니아에 존재하는 신화 장비의 90% 이상은 [주무기]로 신화 풀셋 같은 건 존재할 수 없다. 차차 업데이트로 추가한다고 예고되어 있을 뿐.

'차차 업데이트 중이니 언젠가는 가능하겠지.'

언젠가 권능 스텟. 그러니까 1,000스텟이 개방되고 초월 다음 등급인 황제 등급이 개방될 것이다.

초월자인 지금의 나조차 유의미하게 강화될 어마어마한 미래.

문제는 그런 [업데이트]는 충분한 흥행력이 없는 이상 적용할 수 없다는 점이다.

"그래서 주식을 충분히 사 두고 싶던건데……."

그러나 그게 파투난 이상 다른 방식을 찾아야 한다.

팟!

스페이스 건틀렛을 다시 인벤토리에 넣은 뒤 클래스 카드를 꺼낸다. 더해 펫 카드를, 수호령 카드를 꺼냈다.

신화급 클래스 카드 5장. 신화급 펫 카드 9장. 신화급 수호령 카드 5장.

나는 고개를 끄덕였다.

"이왕 이렇게 된 거…… 천원으로 간다."

망령룡을 잡고 마지막 화점을 정복할 때가 왔다.

* * *

19줄 바둑판의 구조를 가진 아르데니아의 착점은 361개, 화점은 9개다.

인류제국은 그중 오분의 일 정도를 차지하고 있다. 8개의 화점과 장비 제작에 필요한 재료 템을 드랍하는 던전, 필수적인 식량을 드랍하는 던전, 사냥이 쉬워 신병 훈련과 경험치작에 유리한 던전 등을 점령한 결과였다.

그리고 당연하게도 인류제국이 상대한 최강의 적은 전설 등급까지.

내가 지옥성을 업데이트한 이유였다.

[크오오오오--!]

"필드 보스급! 필드 보스급 확인!"

"전설급 필드 보스 광기의 바실리스크 데하칸입니다!"

푸확!

사방으로 물을 튀기며 거대한 괴물이 모습을 드러낸다. 지옥탑 지하 1층에서 12시, 9시에 두 번 등장하는 필드 보스.

리벤지에서는 등장할 때마다 녀석을 차지하기 위해 길드들끼리 전쟁을 벌이지만 아르데니아에서는 당연히 그럴 이유가 없다.

수천의 병사들은 서로 경쟁하거나 방해하는 대신 오와 열을 갖춰 성벽에 지킨다.

"온다!"

번쩍!

광기의 바실리스크 데하칸의 석화 광선이 뿜어진다.

팟!

그러나 보호막이 그 공격을 가로막았다.

성에 저장된 마나가 바닥날 때까지 모든 원거리 공격을 차단하는 신화급 보호막! 넘치는 자금으로 강화한 성의 보호막은, 특히나 지옥성을 위해 만렙까지 강화한 만독성의 보호막은 나조차도 부수는 데 한 시간은 걸릴 정도로 튼튼하다.

[크앙!]

결국 원거리 공격을 포기한 데하칸이 괴성을 지르며 성벽을 향해 달려온다.

"병사들 앞으로!"

지휘관의 외침을 들은 병사들이 대물저격총을 들고 앞에 나서고.

두두두두두!

콰콰콰콰쾅!

달려오는 데하칸의 몸에 수천 발의 총알이 틀어박힌다. 녀석은 피부에 탄환이 박히고 피가 튀고 있음에도 무시하고 접근했지만.

"궁수 앞으로!"

거리가 어느 정도 가까워지자 새로운 명령과 함께 고레벨 궁수들이 시위를 당긴다.

"스트라이킹!"

"홀리 웨폰!"

"더블 페인!"

궁수 뒤에 있는 사제들이 버프를 걸고.

"발사!"

명령과 함께 일제 사격.

그리고 이번 사격에 담긴 위력은 지금껏 겪은 총화기에 비할 수준이 아니다.

"크헝!?"

달려들던 데하칸이 놀라 몸을 멈춰 세웠지만 이미 쏟아진 화살의 절반 이상이 명중한 뒤.

심지어 그것마저 시작이다.

"슬로우!"

"브레이킹 아머!"

"컨퓨즈!"

"다크니스!"

궁수들은 궁수들 나름대로 사격을 이어 나가는 상태에서 사거리가 닿은 디버프가 쏟아지고.

"플레임 스트라이크!"

"거스트 스트라이크!"

"썬더 스트라이크!"

마지막으로 공격 마법이 온몸을 후려친다.

그걸로 끝이었다.

"클리어!"

"1시간 동안 긴장을 늦추지 마! 지하 2층의 녀석도 올 수 있으니!"

전투는 순식간에 끝났다. 필드 보스는 동일 등급의 몬스터들보다 훨씬 큰 피통과 특수 능력을 가지고 있지만, 그럼에도 성벽에 도달조차 하지 못하고 사냥당하고 말았다.

수천의 인원이 쏟아 내는 공격은 그야말로 상상을 초월하는 수준으로 전설급 몬스터라 해도 감당하기 버겁다.

물론 단숨에 이쪽으로 파고들어 수천의 무리를 헤집어 놓거나 원거리 폭격을 하면 해결이 가능하지만.

'신화급 성벽이 괜히 있는 게 아니지.'

원거리 공격은 막히고, 공간 이동도 차단된다. 50미터짜리 성벽을 그냥 뛰어 올라와야 한다는 말인데, 쏟아지는 공격을 피해 드높은 성벽을 타고 오르는 건 절대 쉬운 일이 아니다.

물론.

그건 전설급의 이야기일 뿐이다.

"필드 보스급! 필드 보스급 확인!"

"신화급 필드 보스 베히모스 크루테입니다!"

"비상! 비상! 신화급 필드 보스 출현!"

"연락 돌려!"

푸확!

땅에 뚫린 거대한 구멍에서 한순간 물기가 사라진다. 하늘에는 이미 거대한 괴물이 자리하고 있다.

팟.

허공에 더 있던 그 거대한 몸이 일순간 사라지고.

빼엉!

대기가 터져 나가는 소리와 함께 허공이 출렁인다.

"보호막이 막아 내네."

상대는 신화급이었지만 보호막 역시 신화급. 물론 신화급 성의 보호막은 적의 직접적인 접근을 막지 않지만…… 너무나 빠른 베히모스의 속도는 녀석을 [투사체]로 판정되게 만들었다.

'게임이 아닌, 현실이기에 생긴 오류라고 해야 하려나……. 하기야 게임이었으면 성벽을 넘어서는 거 자체가 금지긴 하지. 성문을 부수는 게 정석인데 성문을 거들떠보는 놈도 없으니.'

[크아아앙!]

바닥에 착지한 베히모스가 분노한 듯 포효한다. 흉흉한 살기를 담은 녀석의 샛노란 눈이 길드 타워 꼭대기를 직시한다.

'나를 봤군.'

하기야 녀석도 초월급이라면 이 성에 자신의 상대가 나뿐이라는 사실을 모를 리 없으리라.

'건방진 것.'

그러나 초월급이라도 녀석은 내 상대가 아니다. 필드보스가 아니라 스페셜 보스들조차도 일대일로 어렵지 않게 상대할 수 있는 내게 20렙 턱걸이 따위가 어디 눈을 부라린단 말인가?

나는 녀석을 향해 뛰어내리는 대신 창가에 앉았다.

그리고.

“요새는 매일 오네!”

빛이 번쩍인다. 어느새 성벽 위에는 광휘를 흩뿌리는 빛의 기사가 서 있다.

[크르릉!]

대지의 마수, 베히모스가 으르렁거린다. 일단 도착한 빛의 기사., 에드워드가 인벤토리에서 장비를 꺼내 장비한다. 전설급 판금 갑옷이 그의 전신을 뒤덮고 그의 전신에 흐르던 빛이 갑주로 번져 나간다.

“모두 자리에서 집중-!”

“크헝!”

베히모스가 포효하며 돌진한다. 영리한 녀석은 아까처럼 무지막지한 속도를 내지 않았다. 단 한 번의 충돌로 보호막의 성질을 파악한 것이다.

그러나 속도를 죽이게 되면 화살과 마법 세례를 받는다.

퍼버벙!

그 모든 공격을 무지막지한 기세로 돌파하며, 베히모스는 성벽을 뛰어올랐다. 피해가 전혀 없을 수는 없지만 두 개의 뿔에 기운을 집중해 최소화한 것.

베히모스는 강력한 몬스터다. 하기야 신화급이 약할 리가 있겠는가? 실제로 베히모스가 처음 등장했을 때에는 꽤나 완벽한 준비에도 만독성의 플레이어 중 수백 명 이상이 사망하고 말았다.

그러나 그 공격을 하루에 한 번, 심하면 두 번씩 매일매일 경험하다 보면 대응책은 생기기 마련이다.

번쩍!

성벽을 다 올라왔던 베히모스의 앞을 에드워드가 막아선다.

"크앙!"

베히모스의 앞다리가 벼락처럼 휘둘러진다. 검보다 날카로운 다섯 개의 발톱이 빛살처럼 공간을 갈랐다.

그러나.

키긱.

발톱과 검이 맞닿고.

휘청!

베히모스의 거대한 몸이 빙글 돌았다. 공격이 허공을 헛치자 그 거대한 힘의 흐름을 이기지 못하고 몸이 돌아버린 것!

물론 에드워드도 무사할 수 없었다.

좌악!

에드워드의 갑주가 찢어지며 피가 쏟아진다.

"그레이트 힐!"

"그레이트 힐!"

"그레이트 힐!"

"리커버리!"

사제들의 회복 마법이 쏟아진다. 그뿐이 아니다.

퍼버벅! 콰과광!

한순간 허공에 멈춰 버린 베히모스의 몸에 수천 발의 화살과 마법이 쏟아진다. 상상을 초월하는 수의 폭력에 초월지경의 괴물조차 버티지 못하고 바닥에 추락한다.

쾅!

물론 베히모스는 바닥을 박차고 다시 성벽을 뛰어올라 왔지만.

"안녕?"

어느새 회복한 에드워드가 다시 막아선다.

콰과광! 퍼버벅!

무려 2시간 동안 베히모스는 별의별 짓을 다했다. 에드워드를 떨쳐 내기 위해 주변으로 이동해 보기도 하고 성벽을 부숴 보려고도 했으며 심지어 땅에 파고 들기도 했다.

그러나 에드워드는 녀석을 끊임없이 막아섰고……. 혹여 그러지 못한다 해도.

[천벌의 탑(신화)가 작동합니다!]

[공허의 감옥(신화)이 작동합니다!]

[파멸포(신화)가 작동합니다!]

신화급 방어 타워와 수성 오브젝트가 발동한다.

사실상 결과는 정해져 있다.

[축하합니다! 한 길드가 베히모스 크루테를 해치웠습니다!]

[최고 기여도. 에드워드.]

팟! 팟! 팟!

사방에서 레벨 업 이펙트가 터져 나온다. 병사들의 앞으로 아이템들이 떨어졌다.

인원이 워낙 많아 각각의 보상은 의미 없는 수준이었지만 신화급 레이드 보스인 베히모스는 한 대만 때려도 [레이드 보상 상자] 상자가 떨어진다.

"……그래. 가능하겠네."

나는 성벽에서 눈을 돌렸다.

10년이 넘는 시간.

인류제국은 강해졌다.

아르데니아의 플레이어들은 몽땅 무과금 유저지만 무과금 유저라도 10년쯤 리벤지를 플레이하면 전설 클래스나 장비 정도는 마련하기 마련이다.

아르데니아에는 [이벤트]나 [이벤트 출석] 등이 없었지만 적어도 길드 출석은 존재했다. 길드가 많아지면 많아질수록 클래스를 뽑는 사람은 점점 많아졌고 이제 와서는 아르데니아에 살고 있는 거의 대부분의 사람들이 플레이어인 지경에 이르렀다.

그리고 그렇게 된다면?

제국민들은 남는 플레이어 카드를 합성했고 점점 상위의 클래스를 뽑게 되었다. 성벽으로 쳐들어오는 몬스터들을 잡으며 최고 전설급의 장비를 얻었으며 그것을 강화했다. 컬렉션 또한 완성해 나간다.

그뿐이 아니다.

그들은 34지구의 발달된 영능학을 받아들였고 죽을힘을 다해 그것을 수련했다. 실전 경험은 너무나 쉽다. 그들은 돈을 위해, 명예를 위해, 강함을 위해 매일매일 던전에 들어간다.

'그런데 여기에서 신화급 카드들이 투입된다면?'

지금 내게는 신화급 클래스 카드 5장, 신화급 펫 카드 9장, 신화급 수호령 카드 5장이 존재한다.

초월자가 아니더라도 초월자에 준하는 스텟과 스킬을 가진 존재를 최소 다섯 명을 만들 수 있고 신화급 펫을 가진 넷을 추가로 운용할 수 있다는 말이다.

신화급 던전, 죽음의 신전에서 내게 부족하던 그것.

[숫자]를 충당할 수 있다는 말이다.

'하지만 그냥 줄 수는 없지.'

신화급 카드는 너무나 강대한 힘이다. 아르데니아의 가장 천한 자라도 신화급 클래스를 얻는 순간 권력자의 반

열에 들어갈 정도.

전투 예지라는 불가해한 권능을 가진 나조차 신화급 카드를 얻기 전과 후의 전투력이 비교조차 할 수 없지 않은가?

"플라워."

"네, 폐하."

내 부름에 플라워가 집무실로 들어왔다.

이제는 황후나 다름없는 위치에 도달했음에도 그녀는 여전히 내 근처에서 업무를 처리한다. 내가 사람을 따로 구한다고 말해도 요지부동이라 나도 포기한 상태다.

"사냥제의 우승자가 누구였지?"

리벤지 5주년 이벤트, [황금 스킬 북을 완성하라]를 적용시킨 던전을 최대한 많이 클리어하는 대회. 그 이벤트 덕에 인류제국은 무지막지한 수의 전설 스킬 북을 확보할 수 있었다.

"에드워드였습니다."

"그런가."

고개를 끄덕인다. 그래 어차피 녀석은 뭘 해도 줄 생각이었다. 심지어 줄 직업도 정해 둔 상태였다.

"그래. 그러면…… 대회를 열지."

"대회 말입니까?"

"그래. 이름은…… [제국 최강]으로 하지. 인류제국 전체를 대상으로 한 무투대회. 더불어 [마도대회전]도 열겠다. 마법의 경지를 겨루는 대회야. 그리고…… [치유성전]도 열지. 최고의 사제를 뽑는 대회."

"……보상이 관건이군요."

"신화 카드."

"……!"

10년 전에는 공모전에 전설 카드를 걸어 제국 전체가 들썩였다.

'이제는 불가능한 일이지.'

클래스 카드는 충분히 풀렸고 인류제국 최고의 권력자들은 카드 합성으로 기어코 전설 카드를 완성하곤 했다. 엄청난 시간과 돈, 노력이 필요한 일이었지만 어마어마한 수의 플레이어 풀은 그것을 가능하게 만들었다.

그러나 [신화]급은 다르다.

카드 합성으로 도달할 수 있는 곳은 전설로 끝이다. 오직 화점을 가지고 있는 이만이 신화 합성에 도전할 수 있고, 합성으로 얻을 수 있는 신화 카드는 1장으로 제한된다. 심지어 화점을 빼앗기기라도 하면 신화급 카드가 비활성화되는 악독함!

리벤지가 10년째인데 왜 내가 9번째 신화겠는가?

신화 카드 한 장에 100억을 박는 미친놈이 많아지고, 심지어 나 혼자 거기에 숫자를 잔뜩 더해 40개의 신화가 존재하게 될지는 네메시스 대표 배사랑도 짐작하지 못했으리라.

"폐하. 너무나 강력한 힘입니다."

"하지만 그 강력한 힘을 가져야 나를 도울 만한 전력이 될 수 있다."

"……그렇다면 문학제와 음악제는 없겠군요."

"문학제와 음악제?"

나는 플라워의 말에 멈칫한다. 그녀의 말은 거기에서 우승할 이들은 내 [전력]이 될 수 없으니 제외해야 한다는 말이었지만 굳이 꼭 그럴 필요는 없다는 생각이 들었기 때문이다.

"뭐, 그것도 좋지."

"네? 하지만."

"대신 여기는 우승이 조건이 아니야. 내가 정한 점수 조건을 넘어야 해."

리벤지에서 신화급 카드 한 장을 뽑으려면 확률적으로 100억 정도가 들어간다.

즉, 내가 그들이 만든 작품으로 100억 이상을 벌 수 있다면 내 입장에서도 아쉬울 게 없다. 심지어 0.001%의 나머지. 그러니까 99.999%에 해당하는 [상급 소환권]은 고스란히 남지 않던가?

'뭐, 말 그대로 걸어만 두는 거지 신화급을 받을 사람은 없겠지.'

당연한 일이다. 어지간한 대박작이라도 100억을 버는 게 어디 쉬운 일이겠는가? 100억이란 장르 소설판 최고의 작품조차 감히 넘보기 힘든 금액이다.

그러나.
“어? 오오오? 이 노래 너무 좋다. 어디 거야?”
뜻밖에도.
스페이스 스타, F·D가 그것을 물었다.
나는 팔자에도 없던 음악을 배우고 있었다.
별수 없다.
아르데니아의 음악가들이 악보를 다 만들어 보낸다 해도 프로그램을 조작해 그것을 음악으로 만들려면 기술이 필요하니까.
쿵쿵 따! 쿵쿵 땅!
악보에 따라 음악 제작 프로그램 오르페우스(Orpheus)를 돌린다. 아직은 익숙하지 않아 도저히 만드는 데 속도가 나지 않는다.
‘아. 어렵네.’
그러나 제까짓 게 어려워 봐야 무공, 마법, 차크라 수련보다 어렵겠는가?
나는 만인의 스승, 인터넷과 마이튜브를 뒤져 가며 프로그램에 적응. 아르데니아의 음악들을 제작하기 시작했다.
첫 번째 곡을 만들기까지 2시간이나 걸렸다.
“하…… 베껴 와야 할 곡이 120곡이 넘는데…….”

거르고 걸렀음에도 이 정도다. 지난 10년간 인기를 끈 노래가 너무나 많았기 때문이다.

지구에서 이질적으로 느낄 만한 장르와 황제 찬양 노래를 깡그리 날리지 않았다면 다른 일정을 다 포기하고 몇 달 동안 수천 곡의 음악만 만들어야 했으리라.

팅 티리링~ 팅팅!

"로그인."

나는 프로그램에 곡을 입력하다 얼굴을 와락 일그러트렸다.

"아니, 플로리아는 또 무슨 악기야? 이것들이 표준 악기만 쓰라고 했더니……!"

문제는 그뿐이 아니다.

"이 번개무늬는 무슨 음표야? 이 악사 놈들 진짜!"

나는 책임자들을 불러 엄하게 질책했다.

해당 음악가 놈들에게도 엄벌을 내렸다.

당연히 징역이나 벌금이 아닌 10,000점(100만 원) 정도의 신곡을 표준 악기와 표준 악보에 따라 제작하는 벌이다.

"할당량을 다 채울 때까지 식사는 맹물과 멧돼지 뒷다리 고기만 먹인다. 모든 종류의 양념을 금지한다."

"폐하! 폐하, 잘못했습니다! 제발 소금이라도……!"

"끌고 가라."

"폐하~~!"

예술가답게 자꾸 엇나가는 놈들을 통제하며 음악을 만든다.

가상의 악기음과 목소리를 만들어 주는 오르페우스에 하나둘 재생 목록이 추가된다.

"음."

그러나 곡이 추가되면 추가될수록 미궁이다.

[신이시여, 내게 시험을 내리지 마소서. 당신을 향한 나의 믿음 변하지 않을지니.]

신성제국의 성가대인 [빛의 아이들] 출신의 거장, 플레쳐의 [내가 가는 길]이다.

수없이 많은 공연을 진행했음에도 매 무대마다 기립 박수가 쏟아진다는 명곡.

"잘 모르겠네……."

음악이 좋은 거 같다. 그러나 딱 그 정도.

어떤 노래가 좋은지. 어떤 노래가 인기 있을지 감이 잡히지 않는다.

[나의 영원한 슬픔은……]

"아, 이게 맞나……."

웹 소설의 경우는 닥치는 대로 연재하면 그만이었다.

개중 독자의 선택을 받은 작품들이 스스로의 힘으로 수면을 뚫고 나왔기 때문이다.

그러나 음악은 다르다.

작곡 관련 사이트에 곡들을 올려도 다른 음악가의 이런 저런 평가가 달릴 뿐 수익이 발생하거나 대중에 알려지는 일은 없다.

'역시 음악판은 소설판과 다르군.'

알아서 고객이 모이지 않는다. 왜냐하면, 곡 하나만으로는 컨텐츠가 완성된 상태가 아니기 때문이다.

곡에 걸맞은 가수가 필요하다.

'기획사들에게 곡을 돌리려면 무차별 살포보다는 선택과 집중을 해야 할 텐데.'

"로그아웃."

지구로 넘어가 한 곡을 재생해 본다. 남성 솔로곡.

'괜찮네.'

또 한 곡을 들어 본다. 남녀 듀엣곡.

'괜찮아.'

또 한 곡을 들어 본다. 합창곡.

'괜찮은 듯……?'

미칠 것 같다. 판별이 되지 않는다.

[욕해봐 맘껏 해

진실이 궁금한 사람 있긴 해

여기 거기
다 지고 떠날게
욕 해봐 죽여봐
그 칼로 나를 찔러 봐]

새로운 곡이 흘러나온다.

'이 노래가…… 하모니 거였나?'

[네 존잴 밝히려
발에 치인 날 죽이려면
좀 더 정확해야지
네 존잴 밝히려
발에 치인 날 죽이려면
좀 더 잔인해야지]

날카롭고 신경질적인 가사에 나는 한숨 쉬었다. 돌기 일보 직전이었다.

"이것도 좋네……."

바로 그때였다.

"어? 오오오? 완전 좋다."

"음?"

그 느닷없는 목소리에 고개를 돌린다.

언제 왔는지 모를 루비가 작업실에 빼꼼 고개를 들이밀

고 있다.

"루비. 일 중에는 들어오지 말라고 했잖아."

"아니~ 그냥 지나가려는데 쓰레기 중에 보석이 끼어 있잖아."

"쓰레기 중에 보석?"

이해 안 되는 말에 오르페우스의 재생 목록을 바라본다.

128곡.

최대한 괜찮은 곡들만 모았는데 쓰레기라니?

"다 괜찮지 않아?"

"그게 뭔 말이야? 트렌드에도 전혀 안 맞고 메시지도 헛바람 들은 게 태반인데. 이거 어디 곡이야?"

"일단…… 내 노래인데."

"……엥?"

루비가 멈칫한다. 나는 뻔뻔하게 나갈 수밖에 없었다. 이걸 어디서 '베껴 온' 거라고 하면 이야기가 진행되지 않기 때문이다.

"음, 차크라 수련 중이거든. 문학이랑…… 음악을 하고 있어. 거기에서 생산(生産)되는 거야."

"……살다 살다 그런 말은 처음 듣는다. 누가 차크라를 그런 식으로 완성해?"

루비가 황당해했지만 잠깐 사이, 다시 곡들을 줄줄이 써 내려 가자 어느 정도 그 말을 믿게 되었다.

"플라워! 플라워. 잠깐 와 봐!"

"무슨 일인가요?"

허공을 향해 외친 목소리에 플라워가 자연스레 공간을 넘어 모습을 드러낸다.

초월적인 마력이 휘도는 식칼을 들고 있던 그녀는, 나를 보고 깜짝 놀라 식칼을 없애 버렸다.

'뭘 요리하고 있던 거지?'

어쨌든 모습을 드러낸 플라워에게 루비가 말했다.

"재연이가 곡을 찍어 내!"

"어머, 곡도?"

"곡도?"

"소설도 찍어 내시거든. 하루에 수십 권도 쓰셔."

"엥? 뭐야 그게. 마법이나 무공 수련이 아니라 소설이었다고?"

"잠시만. 스노우! 흑요! 사파이어!"

결과적으로 오룡이 다 모여 내가 만든 128곡을 차례대로 들었다.

"나는 칼."

"나도."

"흠. 요새 악플이랑 가십이 판치니 상황에도 맞는 듯?"

"찬성."

"손."

순식간에 의견이 일치한다. 나는 손을 들었다.

“다른 곡들은? 127곡이나 되는데…… 내가 싸게 팔게.”

“…….”

“…….”

“…….”

“…….”

“…….”

오룡이 서로의 얼굴을 본다.

결론이 나오기까지는 그리 오랜 시간이 걸리지 않았다.

“응. 안 해~”

“어둑서니 오빠한테 줄게. 알아서 각종 중소기업에 뿌릴 거야.”

“하나라도 좋아서 다행이다.”

“연습 가자. 연습!”

뿔뿔이 흩어지는 오룡이들의 모습을 잠시 바라보던 난 결국 어깨를 으쓱일 수밖에 없었다.

“뭐…… 사기를 치진 않겠지.”

그리고 그렇게.

시간이 흐른다.

* * *

“에드워드.”

"네, 폐하."

"이 시간부로 너를 아홉 검(THE NINE SWORD)에 임명한다. 너에게 신화 클래스 피닉스 나이트와 신화 펫 피닉스. 신화 수호령 피닉스와 피닉스 오라 비전서를 하사하니 언제나 물러서지 않는 투지로 자신의 사명을 다 하라."

그렇게 말하며 세 장의 카드와 한 권의 스킬 북을 건넨다.

그리고 그러자.

쿠르릉…….

콰릉!

먹구름이 몰려온다. 이제는 익숙하기까지 한, 그러나 여전히 장엄한 광경에 모두가 숨을 죽인다.

"오오. 이 광경은……."

"세상에 이걸 또. 그것도 황제폐하가 아닌 다른 사람에게서 보게 된다니……."

"엄청나군……."

몰려든 먹구름에 세상이 어두워졌지만 겁에 질리는 사람은 없다. 왜냐하면 나로 인해 이미 몇 번이고 재연됐던 모습이기 때문이다.

뎅…… 뎅…… 뎅……!

과연 웅장한 종소리와 함께 먹구름이 갈라지며 도시에 빛이 쏟아진다.

—마침내 초월의 경지에 올라 인간의 몸으로 하늘에 오르나니.
—신이여. 용서하소서.

그것은 신화 클래스의 등장을 알리는 대륙 규모의 축포다.

[모두 칭송하십시오. 19번째 신화가 지금 이 자리에 탄생하였습니다.]
[그의 이름은 에드워드.]
[지금 이 시간부로 24시간 동안 모든 사냥터에 경험치 100퍼센트 버프가 주어집니다.]
[다시 한번 안내 드립니다. 19번째 신화가 지금 이 자리에 탄생하였습니다.]

내가 18개의 신화 클래스를 모두 얻었기에 사실상 두 번째 신화 클래스 소유자라고 할 수 있는 에드워드는 19번째 신화다.
그뿐이 아니다.

[모두 칭송하십시오. 19번째 신화(펫)가 지금 이 자리에 탄생하였습니다.]
[그의 이름은 에드워드.]

[지금 이 시간부로 24시간 동안 모든 사냥터에 경험치 100퍼센트 버프가 주어집니다.]

[중첩 발생!]

[지금 이 시간부로 24시간 동안 모든 사냥터에 경험치 200퍼센트 버프가 주어집니다.]

나는 모든 신화 클래스에 더불어 모든 신화 펫도 획득했다. 모든 신화급 수호령도 마찬가지.

그렇다. 나는 리벤지 컬렉션 100%를 달성했다.

그야말로 전무후무한, 리벤지 최고 존엄!

'아르데니아에서는 아직 아니지만.'

그러나 과금력이 충만하니 원하기만 하면 언제든 가능하다. 당장 급한 일이 아니니 미루고 있을 뿐이다.

뿌득! 뿌드득!

예전의 내가 그러했듯 강대한 버프와 성장에 에드워드의 육신이 삐걱거렸지만 에드워드는 눈 하나 깜빡이지 않는다.

"충성을 다하겠습니다!

"믿겠다."

피닉스 나이트는 예전부터 생각해 오던 직업이다. 빡대가리 몸치라는 에드워드의 [방향성]과 잘 맞는 건 물론이고 녀석의 태극권, 태극검에 가장 적합한 특성과 스킬을 가지고 있기 때문이다.

물론 녀석을 진짜로 강하게 할 직업은 따로 있다.

'홀리 로드(Holy Lord).'

그것은 리벤지에 설정된 에드워드의 [가능성]이다. 외신에게 홀려 광신자의 길을 걷는 대신 유혹을 이겨 내고 초월자의 길에 이르는 평행 우주의 미래.

그러나 이대로도 초월지경에 이를 인재를 그딴 식으로 소모할 수 없다. 말이 좋아 다른 우주의 기억이지 클래스 침식은 자아를 오염시킬 수도 있는 위험한 시도이기 때문이다.

지금 생각해 보자면 헤이즈의 경우는 대단히 운이 좋은 케이스다. 클래스 설정에 외계의 존재도, 광기 넘치는 사연도 없기 때문이다.

'물론 실험은 해 볼 수 있지.'

나는 도열해 있는 기사들을 보았다.

오늘의 [수여식]에 참가한 것은 신화급을 받는 이들만이 아니다. 바로 그 아래. 그러니까 전설급을 받을 다수의 인원이 준비 중인 상황.

그리고 그들 중에는…… 녀석이 있다.

'남궁일검.'

전 무림맹주 현 참마기사.

녀석은 내 성에 쳐들어와 나를 인질 삼아 내 세력을 흡수하려 했던 적이다. 황제의 오른팔로 많은 일을 벌여 왔던 존재.

그러나 녀석은 내게 패배해 전쟁 포로가 되었고, 갇혀 지내다 화병으로 죽은 명 황제와 달리 인류제국의 기사로서 아직 살아 있다.

'그래. 녀석이 바로 검왕이지. 검성이기도 하고…… 검신이기도 하다.'

나는 오늘 포상을 빌미로 오랜 호기심을 충족할 생각이다.

과연 [가능성]의 힘은 어디까지일까? 정말 클래스 카드의 힘으로 녀석이 단번에 초월지경에 도달하는 게 가능한 일일까?

[모두 칭송하십시오. 20번째 신화가 지금 이 자리에 탄생하였습니다.]

[그의 이름은 헤이즈 스타라이트.]

[지금 이 시간부로 24시간 동안 모든 사냥터에 경험치 100퍼센트 버프가 주어집니다.]

[다시 한번 안내 드립니다. 20번째 신화가 지금 이 자리에 탄생하였습니다.]

국가적인 축제에 흔히 동원되는 사열이나 축포, 행사 따위는 애초에 필요가 없다. 신화 카드의 등장 임펙트와 전체 공지가 무엇보다 화려한 축제이기 때문이다.

[모두 칭송하십시오. 21번째 신화가 지금 이 자리에 탄생하였습니다.]

[그의 이름은 스틸스톤.]

[지금 이 시간부로 24시간 동안 모든 사냥터에 경험치 100퍼센트 버프가 주어집니다.]

[다시 한번 안내 드립니다. 21번째 신화가 지금 이 자리에 탄생하였습니다.]

차례차례 신화 카드를 수여한다. 이로써 그들은 초월자가 아님에도 초월자에 대항할 힘을 가지게 되었다.

초월자에 준하는 스텟, 초월자의 스킬들을 가지고 있다면 신화급 던전에서도 쉽사리 죽어 나갈 일은 없을 것이다.

비상 상황에는 귀환 스크롤을 사용하면 되니 더더욱 그러하다.

[모두 칭송하십시오. 22번째 신화가 지금 이 자리에 탄생하였습니다.]

[그의 이름은 레드.]

[지금 이 시간부로 24시간 동안 모든 사냥터에 경험치 100퍼센트 버프가 주어집니다.]

[다시 한번 안내 드립니다. 22번째 신화가 지금 이 자리에 탄생하였습니다.]

에드워드, 헤이즈, 스틸스톤, 레드 그리고 플라워 이후 최고의 치유사로 이름 높은 힐링(당연히 개명한 이름이다)이 신화 클래스를 부여받았다.

당연하지만 당장 그들을 전력으로 쓸 수는 없다. 꽤 긴 시간 동안 초월급 스텟과 스킬 등에 익숙해지는 시간을 가져야겠지.

'이제 제일 중요한 건 남궁일검이다.'

[아름다운 모습은 신의 모습. 황홀한 목소리는 신의 음성이니.]

[분노의 목소리로 신의 분노를 노래하라.]

[그랜드 엔젤(신화)]

그러나 그런 내 생각은 예상치 못한 돌발 상황에 의해 빗나가고 말았다.

"……어?"

나는 빛에 휩싸인 하모니를 보며 신음했다.

"어?"

"어라?"

"느낌이……."

다른 사람들도 이상을 눈치챘다.

[여기는 어디죠……? 당신들은 또 누구…… …?]

하모니가 투명한 눈으로 나를 바라본다. 나는 뭔가 크

게 잘못되었다는 것을 느꼈다.

'아니, 어째서 하모니가!?'

미처 검신을 불러내기도 전에.

아르데니아에 두 번째 초월자가 눈을 떴다.

전혀 예상치 못한 방식으로.

"뭐야? 무슨 일이야?"

"왜 충성 맹세를 안 하지?"

사람들의 수군거림에도 하모니는 그저 주변을 둘러보고 있을 뿐. 그 태연한 태도에 수군거림이 점점 더 커진다.

"이 영광스러운 자리에서 황제 폐하의 시간을 낭비시키다니."

"아무리 인기 있는 가수라 해도 그렇지……."

여기저기에서 말들이 나오기 시작한다. 당연한 일이다. 인류제국의 지배자 황제가 참여하는 이 수여식에 리허설이 몇 번이었겠는가?

그러나 그 웅성거림을 신경 쓸 겨를이 없었다.

'말도 안 돼…….'

하모니는 비범한 인간이다. 아르데니아에서는 크게 평가받지 못했지만 만일 그녀가 34지구에서 태어났다면 우주적인 스타가 되었겠지.

내가 그녀와 관련된 직업들을 찾아본 건 너무도 당연한 일이다.

'어떤 직업에도 관련 문구가 없었는데…….'

그러나 상황은 이미 벌어졌고 하모니는 [전승]을 받고 말았다.

그것도 신화급.

타고난 맹신(盲信)의 기질로 잠식을 이겨 낸 에드워드와는 상황이 다르다. 심지어 그때는 고작 영웅 등급에 불과했지 않는가?

'기세는…… 초월급.'

놀랍게도 완성자도 못 되던 하모니가 단숨에 초월자가 되었다.

[현실]에서는 모두가 놀라 자빠질 만한 이야기다.

카드 한 장을 넘겨줬더니 일반인이 초월자가 되다니?

연합군이 결성되고 대우주 내로라하는 세력들이 다 관심을 가질 것이다. 초월자라는 존재는 [특별한 개체]가 [특별한 업]을 져야만 탄생한다는 우주의 법칙을 깨부수는 일이기 때문이다.

그야말로 말이 안 되는 이야기.

'하지만 아르데니아에서는 가능하군.'

게임 마스터 관대하는 말했다. 두 번째 '창조신'의 목적이 최상급 신을 만드는 것이라고.

최종 목적이 최상급 신이니 하급 신 정도 구현하는 건 어렵지 않은 일일지 모른다. 실제로 초월자급 몬스터를 찍어 내고 있기도 하고.

[충성, 충성을, 으음.]

잠시 더듬거리던 영언(靈言)이 마치 스피커를 줄이듯 작아져 사라지고.

“충성을.”

“음?”

나직한 목소리에 하모니를 보았다. 그녀가 한쪽 무릎을 꿇고 있다.

“충성을 다하겠습니다.”

나는 경건한 예를 취하는 하모니의 모습을 바라보았다.

‘죽여야 하나?’

어렵지 않은 일이다. 아무리 초월자라 해도 느껴지는 기세는 그리 강하지 않기 때문이다. 나는 이미 하급 초월자 중에서도 상당히 강한 편에 속하니 그녀 같은 성직자가, 그것도 고작 수 미터 정도의 간격에서 살아남는 건 불가능한 일이겠지.

“어…… 뭐지?”

“왜 그러시지?”

이번에는 내가 가만히 있자 제국민들이 술렁인다. 나는 생각을 정리했다.

“계속 진행해라.”

“네, 폐하.”

“네, 폐하.”

잠시 멈칫했던 수여식을 끝낸다.

남궁일검 녀석에게 수여해야 할까 했던 검신 클래스는 취소되고 적당한 전설 근접 직업이 주어졌다.

검신 클래스는 그냥 나 혼자만의 생각이었을 뿐 누구에게 상의하거나 한 것이 아니기에 직업이 바뀌었다고 문제가 되거나 하는 일은 없었다.

“황제 폐하 만세!”

“만세!”

제국민들의 한호에 손을 흔들다 조용히 속삭인다.

“로그아웃.”

지구로 돌아온다. 나는 PC 앞에 앉아 있던 상황.

루비가 황당해한다.

“아니…… 150억을 받자마자 다 과금하는 거야?”

사실 하모니에게 신화급 카드를 주는 것은 그리 좋은 일이 아니다. 하모니는 전사가 아닌 예술가이니 초월급 스텟을 가져 봐야 전력이 되지 않기 때문이다.

그럼에도 불구하고 나는 그녀에게 신화 클래스를 하사했다.

그녀가 내게 100억이 넘는 이득을 안겨 주었기 때문이다.

“……잠시 네메시스에 좀 다녀올게.”

“뭐? 왜? 가챠에 실패했어?”

“그런 건 아냐.”

"하긴 150억을 날리면 열 받을 만하지……."

"아니라니까. 게다가 가챠 실패했다고 네메시스에 찾아간다니 날 뭐로 보는 거야?"

난 투덜거리며 양복을 걸쳤다. 루비는 작업을 해야 한다며 스타드래곤에 남았다.

'하기야 150억 원어치 곡을 받았으면 앨범 작업이 바쁘긴 하겠지.'

오룡이 〈칼〉이라는 한 곡에 150억을 준 것은 아니다.

내게 준 150억은 하모니가 진상한 10개의 곡으로 한 개의 앨범을 만들기로 협의하며 준 선수금.

'진짜 예상도 못했네. 그 난리가 난 새순이 돌을 때로도 아직 150억을 못 벌었는데…….'

아직 앨범은 만들어지지도 않았는데 이만한 돈을 안겨 주다니 그야말로 스페이스 스타에 걸맞은 배포다. 심지어 150억으로 끝도 아니고 일정 선을 넘어가는 흥행을 하면 돈이 더 들어올 것이라는 게 실로 충격적인 일.

문제가 있다면 그 150억의 과금력으로 아르데니아에 가져간 신화 카드의 존재뿐이다.

'다 좋았는데…… 상황이 이렇게 꼬이게 될 줄이야.'

공간을 넘어 초현실 연구소에 도착한다.

나는 [임원] 등급으로 등록되어 있어서 아무런 문제없이 연구소 내부까지 진입할 수 있다.

"재연 씨?"

"안녕하세요. 칼튼 씨. 배 대표님을 만날 수 있을까요?"

내 물음에 사랑의 비서인 칼튼이 눈을 가늘게 뜬다.

"어째서요. 재연 씨에게는 아름답고 강대한 드래곤들이 있지 않습니까?"

어째선지 원망하는 어투에 고개를 흔들었다.

"그런 문제가 아닙니다."

"……아니라면요?"

"아르데니아의 세계관에 대해 상의할 일이 있어서요."

"그게 무슨, 아니……."

그는 잠시 어이없다는 표정을 지었지만, 그가 뭐라고 더 말을 꺼내기 전에 그를 따라다니던 강아지가 짖었다.

"멍!"

"아…… 그래요. 따라오시죠. 대표님은 안에 계십니다."

그를 따라 집무실로 들어가자 커다란 책상에 앉아 작업 중인 사랑의 모습이 보인다.

평소 입고 다니던 깔끔한 정장과 헤어스타일은 온데간데없는, 육감적인 몸매를 대충 덮어 버리는 펑퍼짐한 츄리닝에 풍성한 머리를 끈으로 적당히 올려 묶은 폐인의 모습이다.

"왔어?"

이제는 제법 친해졌음에도 한 번도 보지 못했던 모습에 나 역시 말을 편하게 한다.

"바빠 보이네."

"바쁘지. 네메시스가 휘청이냐 날아오르냐를 가르는 순간이니까."

몬스터 사태로 인해 온 우주가 신음하는 시기.

외국에서 전쟁이 나면 아무 상관없는 나라도 경제적인 피해를 보듯 우주적인 재앙에 상대적으로 평화로운 34지구도 엄청난 영향을 받고 있다.

아무리 게임신이 지배하는 34지구라도 게임은 게임.

하물며 대전쟁이나 블레이드&매직처럼 훈련 목적도 전혀 없던 과금 게임 리벤지는 뼈를 깎는 혁신과 변화 없이는 살아남기 힘든 상황이 되었다.

"바쁜 와중 미안하지만…… 혹시 그랜드 엔젤을 기억해?"

"그랜드 엔젤? 아, 노래하는 천사?"

"그래. 바로 그거. 혹시 배경 설명도 기억나?"

놀랍게도 바로 튀어나오는 정보에 고개를 끄덕이니 사랑이 어이없다는 듯 웃는다.

"아니 고작 그걸 물으려고 이렇게 갑자기 왔다고?"

그녀의 말에 정신이 번쩍 든다.

우리 사이가 아무리 친하다 해도 한 기업의 대표인 사랑에게 바로 찾아오는 건 너무나 무례한 짓이다.

하다못해 연락이라도 먼저 해야 했는데.

"아…… 미안. 내가 요즘 정신이 없네. 갑자기 알고 싶은 게 생겨서."

"왜 갑자기 알고 싶은데?"

"응?"

뜻밖의 질문에 의아해하는 내게 사랑이 묻는다.

"왜 갑자기 알고 싶으냐고. 어떤 이유로 난데없이 그랜드 엔젤의 배경 설명이 궁금해진 거야?"

엉망인 복장과 달리 형형한 눈빛에 생각을 정리한다.

[하모니한테 그랜드 엔젤 카드를 줬더니 갑자기 초월자가 되었어! 이거 맞아? 뭐 문제 있는 거 아냐?]

이렇게 말한다는 건 당연히 있을 수 없는 일.

때문에, 난 그녀가 이해할 수 있는 선의 비밀을 꺼내 들었다.

"짐작했겠지만…… 소설을 쓰고 있어."

"어떤?"

"새순이 돋을 때."

"……진짜 네가 쓴 거였다고?"

사랑의 두 눈이 크게 떠진다. 믿을 수 없다는 눈으로 내를 보고 있다.

'아, 양심 찔려.'

명작을 도둑질하고 심지어 명예마저 가져가는 짓이었지만 어쩔 수 없다. 다른 누구도 아닌 리벤지의 기획자

배사랑에게는 더욱 그러하다.

나는 이미 그녀에게 리벤지의 저작권 문제에 대해 상담한 적이 있고 저작권, 표절 문제로 연락하는 모든 이들에게 '원작자에게 허락받았습니다.'라는 식으로 답변하고 있다.

굳이 그녀가 시간 내 조사하지 않아도 귀에 이야기가 들어올 수밖에 없는 상황인 것이다.

실제로 새순이 돋을 때를 이야기하니 바로 알아듣지 않는가?

"그것 말고도 몇 작품 더 있지."

"하…… 그래. 익숙한 지명이 종종 나오더라고. 익숙한 인물들도. 하긴 순문에 가깝던 작품에서 난데없이 게이트가 열리던 것부터……."

아무래도 그녀 역시 새순이 돋을 때를 읽은 모양.

그녀가 헛웃음을 지으며 말했다.

"넌 정말…… 보통 사람이 아니구나. 소설을 써도, 심지어 내 설정을 가져다 써도 결과물의 수준이 전혀 다를 정도라니…… 하기야 그런 녀석이니 그 어린 나이에 아버지도 결국 도달하지 못한 초월지경에 이르렀겠지."

묘하게 힘이 빠진 태도에 의문이 피어올랐지만, 지금은 그것을 궁금해할 상황이 아니다.

"그보다 그랜드 엔젤."

"……와. 너 진짜."

사랑이 어이없다는 표정을 지었지만 나는 가만히 그녀를 바라볼 뿐이다. 그녀도, 그녀의 비서인 칼튼도 묘하게 불편한 분위기를 만들고 있지만 사실 내가 원망 받을 짓을 한 건 하나도 없다.

미래를 약속한 것도 아니고 썸 타는 발언을 한 적이 있는 것도 아니다.

육체적 관계나 스킨십이 없는 건 너무나 당연한 일.

'물론 나도 사랑이 매력적인 여성이라고 생각하지만…… 솔직히 책임감을 느낄 정도의 관계는 아니지. 굳이 말하면 남사친, 여사친에 가깝다.'

그리고 그런 내 생각을 간파한 것일까?

사랑이 쓴웃음을 지으며 설명했다,

"그랜드 엔젤. 16번째인가, 17번째로 만든 신화 클래스야, 꽃 피우지 못한 소녀의 영혼이 천신의 간택을 받아 탄생했다. 뭐 그런 배경이었어."

"혹시 관련 캐릭터가 있어?"

내 물음에 사랑이 고개를 갸웃거린다.

"캐릭터? 아니 그리 정확히 만들지는 않았는데. 굳이 잡자면 신성제국 출신에 하늘이 감동할 노래 실력을 가졌다는 정도?"

너무나 익숙한 설명에 묻는다.

"이름은……?"

"아니 안 만들었다니까? 뭐 그래도 굳이 이름을 붙였다면 싱(Sing) 아니면 송(Song)? 싱송 같은 것도 좋겠다.”

“…….”

아무래도 사랑이 명확하게 구상하지 않았던 것도 적용된 모양이다. 하기야 그녀가 설정 덕후라 해도 이르데니아의 모든 걸 상세하게 설정하지는 않았겠지.

“고마워.”

“뭘, VVIP 호갱님께 이 정도 서비스야 별거 아니지. 너 한 명 덕분에 자금 유통이 원활해질 정도인데.”

“그래. 업데이트 잘하고.”

자리에서 일어난다. 아르데니아에 새롭게 나타난 초월자를 죽여야 할지, 아니면 포섭해야 할지 고민할 시간이었다.

* * *

사랑은 어이가 없어 웃었다.

“와, 진짜 그거 하나 묻고 가네.”

생각해 보면 언제나 그랬다. 그는 그녀의 미모에 매혹되지도, 재산에 현혹되지도 않는다.

언제나 명확하게 [앞]만 보고 있는 눈.

물론 그 앞을 보는 방식이 좀 제정신이 아닌 것 같기는 해도, 20대 중반의 초월자에게 그 정도 광기(狂氣) 따위 아무런 흠도 되지 않겠지.

'……멋지네.'

그는 그야말로 별처럼 빛나는 존재다. 얼마나 매력적이었으면 인간을 펫처럼 본다는 드래곤이 하나도 아니고 다섯이나 매달리고 있겠는가?

34지구에서 둘째가라면 어이없어할 재벌가의 장녀와의 관계를 단순한 친구라고 철벽 치는 건 아무나 할 수 있는 일이 아니다.

"하, 남자를 100명 넘게 찬 내가 이런 찌질한 생각을 하게 될 줄이야."

투덜거리며 기획서를 살피던 그녀는 이왕 생각난 김에 설정을 추가하려다 멈칫했다.

"아, 역시 싱송(Singsong)은 아무래도 좀 그렇지? 화음 해서 하모니(Harmony)로 해야겠다."

혼자 중얼거리며.

사랑은 업데이트를 준비했다.

집무실에 들어온 에드워드는 자신을 가만히 바라만 보는 하모니의 모습에 물었다.

"폐하, 누나가 왜 저러죠?"

"……사고가 있었다. 기억이 전승되었어."

내 말에 에드워드의 표정이 굳는다. 클래스에 대한 정보는 어느 정도 기밀이었지만, 적어도 내 측근들 사이에서는 제법 알려져 있었기 때문이다. 애초에 '전승'을 경험한 헤이즈와 에드워드가 있었으니 완전히 비밀로 할 수는 없던 상황.

에드워드가 어이없다는 표정을 지었다.

“설마…… 누나가 초월자가 되는 미래가 있었다고요?”

“미안하다. 예상하지 못했어. 희귀, 영웅, 전설 어디에도 없는 전승 직업이 신화급에 있었다니…….”

“에드워드…….”

그때 하모니가 말했다. 말만 한 게 아니라 어느새 다가와 손을 뻗었다.

탁.

그러나 손은 에드워드에게 닿지 못했다. 에드워드가 가볍게 쳐 냈기 때문이다.

“아이고, 답답아. 그걸 몸을 뺏겨? 나처럼 이겨 냈어야지.”

“나, 난 몸을 뺏은 게 아니야! 나는 미래에서…….”

“그래, 그 미래. 그 미래에 관해 설명해 봐라.”

“…….”

하모니가 은은하게 빛나는 눈으로 날 보았다.

눈을 통해 그녀의 내면에 자리한 신성이 느껴진다.

‘큰일인걸. 제법 멀쩡한 초월자로 보이는데…….’

당연한 말이지만 초월자는 격하(格下)의 존재와 비교조차 할 수 없는 정신력과 에고를 가지고 있다.

하모니는 비범한 에고를 가진 예술가지만…… 바로 그 자신이 초월자까지 이른 미래와 주도권 싸움에서 이기는 게 과연 가능한 일인가?

내 불안감을 아는지 모르는지 그녀가 말한다.

"살아 있을 적의 제 삶은…… 아무것도 이루지 못한 미완성이었습니다."

그녀가 천천히 이야기를 풀어 나간다.

그녀의 [시간선]에서 하모니는 고작 15살의 나이로 죽음을 맞이했다.

"화형을 당했습니다. 추기경의 구애를 거절했더니 마녀로 몰렸지요."

"뭐? 그 미친놈이 진짜!?"

"에드워드."

"앗, 죄송합니다. 폐하."

하모니의 이야기가 계속된다.

"저는 노래를 불렀습니다. 비통하고 슬펐지만…… 제가 할 수 있는 건 그것뿐이었죠."

그녀는 동생이 보는 앞에서 불에 타 죽었다.

"하지만 죽지 않았나?"

"죽었지요. 그러나 동시에 신께 선택받았습니다."

스페셜 보스 광신자 에드워드와 신화 클래스 그랜드 엔젤 하모니가 탄생하는 순간이었다.

"그러고는?"

"제 노래에 감명하신 천신께서는 제게 자신의 목소리를 하사하시고 마신과의 전쟁터로 보내 주셨습니다. 수

많은 신병과 신장들 속에서…… 저는 그들을 위해 노래했지요."

리벤지 과금 1등의 최고 존엄, 누구보다 진지하게 리벤지를 공부하는 남자.

아르데니아를 잘 알다 못해 그 안에서 살기까지 하는 난 대번에 그녀의 말을 알아들었다.

'신화의 탑 5층이다.'

리벤지 최상위 콘텐츠, 신화의 탑은 엔간한 과금러들도 혼자서는 뭘 할 수가 없는 마경이다.

하나 이상의 성을 가진 상위 길드쯤 되어야 제대로 활동할 수 있는 곳.

그리고 그중에서도 5층쯤 되면 화점을 소유한 최상위 길드들이 활동하는 영역이다.

하모니가 말을 이어 나간다.

"수백 년간 싸웠어요. 끝도 없이 노래했지요."

"……."

나는 내심 신음했다.

'아, 제길 점점 가능성이 줄어드는데.'

만약 그녀가 신의 힘을 받아들인 직후 죽었다면 원래의 하모니가 주도권을 찾을 가능성이 있다. 그저 신성을 품고 있을 뿐이지 자아가 희박할 수도 있기 때문이다.

그러나 수백 년을 싸워 왔다면?

나름대로 강대한 자아를 가지고 있는 게 당연하다.

실제로 인류제국 최고의 가수인 하모니와 그랜드 엔젤 하모니의 성향은 너무나 다르다. 나를 대하는 태도 역시 완전히 달라지지 않았던가?

'하지만 그냥 죽이기에는 너무 고분고분해. 그냥 그대로 하모니라고 인정해야 할지도 모르지.'

사실 어떻게든 이해하려 한다면 또 못할 것도 없다. [미래에서 돌아온] 본인이라 생각하면 또 완전히 틀린 말도 아니었기 때문이다.

"그러다 그만 마왕을 만나 죽고 말았습니다. 그 이후 정신을 차리고 보니 이곳이었지요."

"그래서 미래에서 온 셈이다?"

"물론 정확히 그렇지는 않습니다. 제가 온 곳에서 폐하 같은 분은 없었으니까요."

실제로 나를 보는 그녀의 눈에는 숨길 수 없는 경계가 가득하다.

그녀는 천신의 천사.

[시나리오]대로라면 반드시 적이 될 수밖에 없는 캐릭터다.

"……잠시."

나는 왼팔을 들어 검은 광택을 흘리는 고급스러운 시계를 바라보았다.

[제로섬(zero-sum)]

이득과 손해를 합치면 제로가 된다.

[드랍 조정 3단계] 영웅 이상의 아이템을 획득할 시, 그것을 없던 일로 하는 대신 그 확률을 저장한다.

저장된 확률은 원하는 시기에 발동 가능.

4단계 상승까지 99,988포인트 필요.

[이벤트 조정 2단계]

중형 이벤트 발생 시, 그것을 없던 일로 하고 대신 그 확률을 저장한다.

2단계 상승까지 1억 포인트 필요.

[변수 조정 1단계]

[개방에 1,000만 포인트 필요.]

나는 이 초월병기를 드랍률 조절에만 사용해 왔다.

'그 하나의 효과만으로도 엄청난 이득인데.'

그러나 제로섬의 효과는 드랍률 하나가 아니다.

[이벤트 조정 2단계]

저장된 대형 이벤트 : 2

저장된 중형 이벤트 : 5.

'이벤트.'

사건(Event), 일상적으로 일어나는 일과는 다른 특별한 일.

나는 제로섬으로 뭔가 발동할 때마다 그것을 저장해 왔다. 느닷없이 이차원으로 끌려 간 경험 등이 이벤트에 대한 불안감을 키웠기 때문이다.

'대형 이벤트…… 사용.'

저장된 대형 이벤트 : 2 -> 1

이벤트의 숫자가 들어든다.

그러나 아무 일도 일어나지 않았다.

'이게 뭐야? 하다못해 멀린이나 뭉개진 자루라도 만나러 가야 하는 거 아닌가?'

"폐하?"

가만히 서 있는 내 모습에 에드워드가 의문을 표한다.

그리고 그 순간.

느닷없이 [궁금증]이 들었다.

"어떤 마왕이지?"

"어떤 마왕이라니요……?"

"마왕 중 누구냐는 소리야."

"그게 무슨…… 마왕은 마왕입니다."

멍청한 답변에 캐묻는다.

"마왕은 마왕이라니 무슨 멍청한 소리지? 팔마왕 중 하나였을 것 아니냐."

아무리 사랑이 고유 세계관을 좋아해도 대우주에 널리

알려진 마왕에 대한 설정을 굳이 새로 만들 이유가 없다.
알려진 게 거의 없는 천신이나 마신이면 몰라도 마왕을 굳이?
"팔마…… 왕? 마왕 중 하나?"
"이름을 모르면 외향이라도 설명해 봐."
"외향, 외향, 외향……."
하모니의 상태가 이상하다. 표정이 일그러지는가 싶더니, 견고했던 그녀 안의 신성이 흔들리기 시작한다.
"그의 모습은…… 모습은……."
혼란스러워하는 모습에 문득 떠오르는 바가 있었다.
"……너, 천신의 모습은 아나?"
"……."
부들부들 떨던 하모니가 불현듯 딱, 하고 멈춰 버린다.
그리고 어느 순간.
쿠웅!
묵직한 영파와 함께 그녀의 격(格)이 하락한다.
"으앗? 이게 무슨?"
에드워드가 당황하는 소리가 들린다. 한순간에 그녀에게서 느껴지는 힘이 믿을 수 없을 정도로 추락했기 때문이다. 그녀는 여전히 충분히 강력했지만, 절대 초월자라 부를 수 없는 존재가 되고 말았다.
"……이거 설마."
"푸하……!"

부들부들 떨던 하모니가 갑자기 크게 심호흡한다.

에드워드가 활짝 웃었다.

"누나! 이겨 냈구나!"

"이겨 냈다고…… 할 수 있나? 윽! 머리가……."

나는 고통스러워하는 하모니와 그녀를 부축하는 에드워드를 보며 생각했다.

상황은 명백하다.

"마왕을 구현하지 못했나……."

새로운 창조신, [그녀]는 대우주의 상식을 벗어나는 짓을 해 버리고 있다. 몬스터의 형태라고는 해도 대우주에서도 절대 흔치 않은 초월자, 흔히 말하는 하급 신을 찍어 내는 위업을 내보인 것!

그러나 그녀에게도 황제, 혹은 마왕 같은 중급 초월자를 만드는 건 쉽지 않은 일인 듯하다.

'언젠간 가능할지도 모르지만…… 적어도 아직은 아니다.'

그리고 그로 인해 천신과 관계가 있다는 설정의 그랜드 엔젤의 자아가 무너져 내리고 말았다. 애초에 빈틈투성이 설정이기 때문이리라.

'그렇군. 이게 [대형 이벤트]인가.'

사건은 꼭 거대한 원인이 있어야만 일어나는 것이 아니다.

우연히 꺼낸 말 한마디, 우연히 도착한 장소, 어쩌다

어긋난 시간 하나로도 사건은 일어난다.

지금 제로섬은 내 머릿속에 [의문]을 불러일으키는 작은 변화만으로 사건을 만든 것이다.

"여러모로 운이 좋았군."

"으…… 폐하."

"고생했다. 시녀를 붙여 줄 테니 가서 쉬고 있어."

나는 하모니와 에드워드를 내보낸 뒤 생각을 정리했다.

그리고 결심했다.

"역시 실험해 봐야겠다."

그리고 즉시 실행했다.

[모두 칭송하십시오. 24번째 신화가 지금 이 자리에 탄생하였습니다.]

[그의 이름은 남궁일검.]

[지금 이 시간부로 24시간 동안 모든 사냥터에 경험치 100퍼센트 버프가 주어집니다.]

[다시 한번 안내 드립니다. 24번째 신화가 지금 이 자리에 탄생하였습니다.]

나는 따로 불러낸 남궁일검에게 검신 클래스 카드를 주었다.

사라진 두 번째 초월자가 새롭게 충당된다.

"……허허."

강맹한 기세를 뿜으며 남궁일검이, 아니, 검신 남궁일검이 너털웃음을 지었다.

"내가 과거…… 아니, 다른 시간선에 도달한 것인가."

남궁일검이 덤비면 바로 박살을 내줄 생각이었지만 검의 극한에 이른 거인은 그럴 생각이 전혀 없어 보인다.

하기야 검신 버전의 그는 대륙을, 인류를 지키기 위해 수백 년간 온갖 역경과 사선을 넘어온 인간 승리의 증명 그 자체.

아무리 그 근본이 동일하다 해도 희대의 영웅인 그가, 황제의 개가 되어 제멋대로 권력을 남용하던 무림맹주와 같은 성향일 리는 없다.

"허허…… 정말 믿을 수 없는 일이구려. 게이트에서 쏟아져 나오는 괴물들을 모조리 쓸어 버리고 무적의 성벽을 세워 인류를 보호하고 있다니……."

내 안내에 따라 성벽에 올라선 남궁일검은 가만히 도시를 내려다보았다.

거대한 도시, 그리고 그 안에서 활기차게 생활하는 사람들.

그의 눈동자가 떨린다.

"이것이…… 구원자가 나타난 세상인가……."

약간의 설득 과정을 거쳐 그는 순순히 내 휘하에서 인간을 위해 싸우기로 맹세했다.

혹시나 하고 준비했던 제로섬은 쓸 필요조차 없었다.

"그나저나."

문득 남궁일검이 말했다.

"과거로 돌아와서인지 육신이 너무나 연약하구려. 내 공도 믿기 힘들 정도로 혼탁하고."

"그래도 원래 이 나이 때 즈음보다는 나을 거요."

"그렇소? 인류제국의 황제. 구원자님의 말이라면 아마 맞겠지."

넉살 좋게 웃으며 남궁일검이 말한다.

"일단은 수련하고 싶소. 내 경험이야 예전과 다를 바 없지만…… 육신은 그렇지 않군."

"그렇게 하시오. 자리를 마련해 주지."

"감사하오. 아니, 감사합니다. 폐하."

예를 취하는 남궁일검을 보며 생각한다.

'괜찮을지 모르겠군. 진실신의 신관이 있다면 간단할 텐데.'

수성 전에서야 초월자도 어렵지 않게 막아 내는 인류제국이지만 그건 어디까지나 신화급 성 때문에 가능한 일일 뿐.

검신(劍神)은 현재의 인류제국이 통제할 수 있는 상대가 아니다.

하물며 인간인 그는 세력을 만들 수도 있는 존재가 아닌가?

아무리 나보다 약하다 해도…… 인류제국의 황제로서의 내게 그는 죽여 없애야 할 상대다.

'하지만 그렇게 다 죽여 없애면 천원은 언제 정복하냐?'

나는 그를 죽이지 않기로 했다. 불안해서 죽일 것이라면 애초에 신화 카드를 넘겨주지도 않았을 것이다.

'다만 혹시 모르니 한동안은 곁에 두고 지켜봐야겠지.'

에드워드나 하모니처럼 원래의 자아를 되찾는지도 알아야 한다. 비상 상황이 벌어지면 제로섬도 써 봐야 할 것이다.

'뭐 그래도 제일 좋은 건…… 역시 진실신이다. 초월자라고 해도 진실신의 사제 앞에서 거짓말을 하지는 못하니까.'

"로그아웃."

지구로 돌아온다. 그리고 언제나처럼 일과를 진행하며 생각한다.

'진실신의 사제가 되어 볼까?'

아닌 게 아니라 이미 난 명예신의 사제가 된 상태, 그들이 아르데니아를 인식할 수 없다는 걸 안 이상 사제가 되는 건 결코 나쁜 선택지가 아니다.

느닷없이 절대 고수가 되는 바람에 실패했을 뿐 정의신의 사제가 되려고도 했었고.

"뭐. 진실신의 사도는 정의신보다는 훨씬 쉽지. 시간이 좀 걸리기는 해도…….”

그런데 그때였다.

“야옹!”

오랜만에 들리는 소리에 반사적으로 중얼거린다.

“최저가?”

그러나 아니다.

[스파이크 앱 알림!]

네메시스.

관심 주식이 급하게 상승 중이에요(5%↑)!

“……아, 젠장. 젠장!”

절로 욕이 나온다.

“역시 그때가 저점 맞았잖아!”

그러나 수 천억을 쥐고 있던 그때와 달리.

이제는 돈이 없다.

‘결국, 걱정하던 대로군. 이래서 그때 주식을 사려고 했던 건데.’

하락세인 주식판에서도 네메시스의 폭락은 심한 편이다. 예전에는 그 이유를 몰랐지만, 지금은 안다.

원인은 나.

내가 네메시스의 주식을 소유하게 되면 네메시스라는 회사 자체가 모든, 혹은 대부분의 예지에서 벗어나게 된다.

그 결과 주식에 투자할 때 예지 능력을 참고로 하는 큰손들이 발을 빼게 되니 어찌 주가가 버틸 수 있겠는가?

'하지만…… 한계가 있지.'

큰손들이 예지를 참고로 하는 건 사실이지만 그것을 절대적으로 맹신하는 건 아니다. 예지를 맹신하다가 패가망신한 운명학파의 마탑주 럭키 스트라이크의 경우도 있으니 당연한 일이겠지.

네메시스 소프트는 부채도 거의 없고 수익은 부유하기로 유명한 34지구에서도 최고 수준이다.

심지어 대표인 배사랑은 수익의 90% 이상을 재투자해 단순한 과금 게임이던 리벤지를 능력자들조차도 현실과 구분할 수 없는 완벽한 가상 세계로 만들고 있다.

매출은 물론이고 영업 이익률도 높다.

자체적으로 연구소까지 운영하며 다른 어떤 단체도 흉내 내지 못하는 신기술까지 개발한 기업.

이쯤 되면 그냥 우량 기업 정도가 아니다.

아무리 시국이 시국이어도 그렇지 주가가 폭락하는 쪽이 더 이상한 일이었다.

'그래. 오를 주식은 결국 오르는 법이야. 투자자들이 꽉 막힌 바보는 아니니까.'

문제는 내게 더 많은 주식이 필요하다는 점이다. 하물며 리벤지에 대규모 업데이트가 진행되어 [황제 클래스]가 추가되기라도 한다면?

지금 가진 주식은 '따위'라고 불러도 모자랄 주식이 필요할 것이다.

네메시스의 흥행력 자체는 리벤지의 인기로 결정되지만…… 안타깝게도 그 흥행력이 전부 내 것이 되는 것은 아니다.

'내' 개인적인 흥행력은 전체 흥행력과 주식 소유율의 곱.

제대로 흥행력을 쓰기 위해선 결국 주식이 많아야 하고, 그렇게 되면 이야기는 다시 원점으로 돌아온다.

'돈이 없다.'

그래, 돈이 없다. 한동안 미친 듯이 일해 벌어들인 수천억 원의 돈은 세금을 막기 위해 모조리 과금해 버리고 말았다.

"재연아! 우리 요번에 바다로 공연 가는데 같이 놀러 갈래?"

문을 활짝 열며 등장한 루비의 말에 웃는다.

"응, 안 돼."

"아니, 왜!"

"일하느라 바빠."

다시 일상이 시작된다.

[프레쉬함과 향기 가득한 샴푸! 당신의 매력을 한층 더 업!]

광고를 찍고.

"펫 무장이요?"

"네, 요새 엄청 유명하긴 하죠. 몬스터 사태도 그렇고 요새 관심이 높아져서 관련 기업들 수입이 엄청나다고 하던데."

"수입이라……."

"아, 이 형 이상한 소리 하지 마! 재연 씨가 관심 가지잖아! 재연 씨 투자는 함부로 하면 패가망신이에요!"

예능에 출현한다.

"멈춰! 초월급 몬스터가 떼로 몰려 오고 있다고!"

"그래도 도망칠 수는 없어."

"이 멍청이! 공허 너머로 갈 생각……! 아! 죄송합니다! 다시 가겠습니다!"

영화를 촬영하고.

"인터뷰에 응해 주셔서 정말 감사합니다! 요즘 어디 가도 재연 씨 얼굴이 보일 정도로 왕성하게 활동하고 계신데요! 재연 씨는 이토록 열정을 불태울 수 있는 원동력이 뭐라고 생각하시나요?"

"과금이죠."

"그래요! 과금…… 네?"

"더 열심히 일해야 과금을 할 수 있으니까요."

"네에에……!?"

인터뷰와 다큐멘터리에 출연한다.

시간이 지난다.

[스파이크 앱 알림!]

네메시스.

관심 주식이 급하게 상승 중이에요(5%↑)!

앨런 감독의 신작 영화 [공허의 너머에서]가 초대박이 났다.

내 몸값이 모든 배우를 통틀어 1위라는 연예 기사가 떴다.

[스파이크 앱 알림!]

네메시스.

관심 주식이 급하게 상승 중이에요(5%↑)!

웹소설들이 벌어들이는 수익이 일정 선을 넘어섰다. 솔직히 배우 활동보다도 더 버는 것 같다.

[스파이크 앱 알림!]

네메시스.

관심 주식이 급하게 상승 중이에요(5%↑)!

일한다.

또 일했다.

어느새 현실의 나는 27살이 되었다.

아르데니아에 처음으로 접속하고 어느새 4년.

현실에 적응하지 못해 야만의 세상을 반겨했던 낙오자는 세계 누구나 아는 슈퍼스타, 1년에 수천억을 벌어들이는 자산가, 홀로 우주 전함과 맞먹는 초월자가 되었다.

그러나 그럼에도.

[스파이크 앱 알림!]

네메시스.

관심 주식이 급하게 상승 중이에요(5%↑)!

"아. 제발 그만 올라가……."

나는 좌절하며 주식앱을 확인했다.

[스파이크 증권 계좌 국내 주식 수익]

+28,331,975,440원(+11.8%).

"수익률이…… 플러스가 되다니……."

500억의 손실은 이제 흔적조차 없다.

계속해서 상승한 리벤지의 주가 때문이다.

기어코 네메시스는 폭락 전의 가격으로 돌아왔다.

'주식이 점점 비싸지고 있어.'

내가 만약 수익을 내기 위해 주식을 했다면 호재도 이런 호재가 없을 것이다.

말 그대로 돈이 복사가 되는 상황이 아닌가?

내가 잔뜩 들고 있는 주식이 끝없이 상승하는 건 모든 주식 투자자가 바랄 만한 상황.

문제는 내가 돈 벌자고 주식을 하는 게 아니라는 점이다.

"아…… 네메시스 주식을 10%는 들고 있어야 하는데."

그러나 네메시스 소프트의 상장 주식 수는 약 2,392만 주.

1%인 23만 주만 해도 약 2조.

즉 10%는.

"……하 미친. 20조네."

욕이 절로 나온다. 그야말로 단위의 차원부터가 다른, 미쳐 버린 액수.

문제는, 이게 심지어 계속 오르고 있다는 점이다.

매일 미친 듯 돈을 벌고 그렇게 벌리는 족족 주식을 사고 있음에도 주가가 오르는 기세를 따라갈 수가 없다.

'주식이 더 오르기 전에…… 사 놔야 해.'

그리고 그러고자 한다면.

한탕을 더욱더 많이 뛰어야 한다.

'광고도 연기도 좋지만 역시 진짜 돈 되는 건 용병 활동이야.'

그러나 임무가 무한히 주어지는 것은 아니다.

몬스터 사태로 온 우주가 혼돈에 빠진 시대. 일거리야 찾으면 얼마든지 있지만…… 그들 모두가 34지구의 우주 용병에게 [대가]를 지불할 정도의 부를 가지고 있을 리 없다.

나는 대우주 최고의 학문기관인 우로보로스의 교수. 멀린의 말을 떠올렸다.

"뭐 660조밖에 안 된다고!? 아니, 잠깐 그럼…… 너네 1게럴트에 3천 원이냐?"

"아니, 요새 게럴트 시세가 얼마나 올랐는데 3천 원밖에 안 돼? 너희 밥 한 끼 사 먹는데 얼마 정도 드냐? 100원? 120원?"

"와, 미친! 최저 시급으로 1시간에 4게럴트를 벌 수가 있다고? 이게 말로만 듣던 낙원인가 뭔가냐? 와, 소문은 들었어도 이 정도라니."

다른 문명에서는 우주 공용 화폐 게럴트 가치가 너무 높다고 볼멘소리를 하지만.

34지구는 뉴스에서 [저환율. 이대로 괜찮은가?]라는

특집 기사를 낼 정도로 화폐 가치가 높다.

34지구가 너무나 힘 있고 부유한 행성이기에 벌어지는 일로 34지구의 우주 용병을 부르기 위한 비용은 엔간한 문명도 허리가 휠 정도로 막대하다.

'문제는 그뿐이 아니지.'

임무를 연속으로 뛰어도 상관없는 나와 달리 어르신들은 임무 후에 한 달은 쉬어야 한다. 혹 다치기라도 한다면 그 이상을 쉬어야 하겠지.

그뿐이 아니다.

임무를 수행할 때마다 기가스를 점검하고 또 수리하는 과정이 필요하다. 아이언 하트에 타격이라도 간다면 수리에 더 많은 시간이 필요하고 최악의 경우에는 은하철도에 태워 캔딜러 족에게 AS를 보내기까지 해야 한다.

반면 나는 어떤가?

잘 다치지도 않고 극의지체답게 다쳐도 금방 회복한다. 혹여 요양이 필요한 부상을 입게 된다 해도 아르데니아에서 휴식하면 그만.

"그리고 그렇다면……."

생각을 정리한다.

그리고 즉시 용병 관리청에 방문했다.

"……단독으로 임무를 뛰겠다고?"

"네. 보상은 최소 1할에서 최대 5할까지 할인해도 괜찮습니다. 대신, 일을 최대한 많이 잡아야겠지요."

"자기 문명에서 해결을 못 해 먼 곳의 우주 용병에게 맡기게 되는 임무를……. 박리다매로 하겠다?"

"바로 그겁니다. 청장님."

"아니……."

천현일 청장은 어이없다는 표정으로 나를 바라보았다. 덩치 큰 북극곰의 풍부한 표정은 보기 드문 종류의 것이다.

"너, 너무 임무를 쉽게 생각하고 있는 거 아니냐? 아무리 초월자라고 해도 단독 임무는 너무 위험해. 어르신들은 네 안전망이기도 하다."

내가 참여하는 용병 팀은 적게는 다섯에서 많게는 10명.

초월자인 난 임무 중 팀에서 가장 특출난 활약을 하고 있지만…… 벌써 10번이나 임무를 뛴 나는 그들이 얼마나 능숙한 존재인지 알고 있다.

초월자가 되지 못했다지만 어르신들의 전투 역량과 노하우는 정말 보통이 아니다.

어디 그뿐인가?

우주 용병급 어르신들에게는 국가 규모의 예산으로 만들어진 [특수무장]이 존재한다. 적을 쓰러트려도 손해니 쉽게 사용하지 않는 것이지 그들이 손해를 감수한다면 아무리 나라도 그들을 쉽게 상대할 수 없다.

'34지구에 찾아온 초월급 몬스터들이 괜히 순삭된 게 아니지.'

그들이 내 '안전망'이기도 하다는 천현일 청장의 말은

절대 과장이 아닌 것.

"청장님."

그러나 나는 단호하게 말했다.

"제 장기는 높은 기동력도. 파괴적인 괴력도. 다채로운 속성 능력도 아닙니다."

"……그럼?"

"생존력이죠."

"생존력이라……."

현일이 얼굴을 굳히고 고민에 빠진다.

징!

그런데 그때 느닷없이 초월병기 제로섬이 진동한다.

'아, 이건.'

이미 한 번 대형 이벤트를 소모해 그랜드 엔젤을 하모니로 되돌렸던 난 그 특유의 [흐름]을 감지할 수 있게 되었다.

말하자면 [이벤트 포인트].

'아니, 그런데 이게 하면 좋은 거야, 나쁜 거야?'

긍정 이벤트 부정 이벤트가 구별이 안 된다. 그랜드 엔젤이 하모니로 되돌아온 것도 그렇다. 결과적으로 초월자 하나가 사라진 셈이었기 때문.

그러나 바꿔 생각하면.

확인을 위해서라도 써 보는 게 좋으리라.

저장된 중형 이벤트 : 5 -〉 4

이벤트가 소모되자 역시나 당장은 아무런 일이 일어나지 않는다. 현일은 여전히 고민에 빠진 채 책상을 단검만큼이나 날카로운 손톱으로 툭툭 치는 중.

그때였다.

삐빗!

"음?"

현일이 눈썹을 꿈틀하며 뭔가를 읽는다. 그의 시선이 책상과 내 얼굴을 번갈아 이동한다.

'뭐지?'

의아해하는 나를 보며 현일이 중얼거린다.

"아니 이 타이밍에……? 게다가 이 위치는 너무 공교롭군……."

"청장님?"

내 물음에 청장이 눈살을 찌푸리면서도 가볍게 손짓한다.

"야옹!"

체다가 운다. 확인해 보니 임무가 하나 날아와 있었다.

"마침 적당한 일이다. 그걸 4점 이상의 점수로 완료하면 단독 작전권을 주지."

"감사합니다!"

"과연 감사한 일인지 모르겠군……."

현일의 중얼거림을 들으며 방을 나선다.

체다의 배를 두들겨 띄운 상세 정보에는 이런 내용이 쓰여 있었다.

[상급 임무. 긴급. 임무 보수 2000만 게럴트]

해시태그 : 돌파, 조사, 구출.

상세설명 : 위험 지대에 진입했던 연구원 실종. 31시간 30분 전의 구조신호가 마지막. 살려서 구출할 시 임무 보수 전액 지급. 시체만 회수해도 절반 지급.

나는 임무 내용을 자세히 읽었다. 이번에는 도와줄 어르신도 없으니 내가 다 잘해야 하는 상황.

그리고 그렇게 정보를 읽던 중.

나는 현일이 말한 '공교롭다'는 말의 뜻을 알게 되었다.

98지구.

그것이 요번 임무의 파견 장소였다.

chapter2.
98지구

chapter2.
98지구

수많은 문명을 박살 낸 우주적인 재앙, 종말 프로젝트로 인해 34지구의 인구는 5억 명으로 줄고 말았다.

분식집 아주머니가 검기를 내뿜고 편의점 알바가 고위 마법을 사용하는 인재 풀.

3문명에 들어선 기술력.

그리고 그 어떤 천연자원보다 찬란한 최상급 신의 존재.

'이민자를 받아들이는 건 필연적인 일이었지.'

34지구는 제도적으로 이민자를 적극적으로 받아들였다. 온갖 조건으로 빡빡한 지금과 달리 큰 하자만 없으면 누구나 들어올 수 있었을 정도.

그러나 이민이 어디 쉽겠는가?

우주 문명의 이민은 비행기를, 배를, 자동차를, 심지어 걸어서 이민이 가능한 하위 문명의 그것과 그야말로 차원이 다른 난이도를 가지고 있다.

적어도 성간 이동이나 차원 이동쯤 할 수 있어야 시도라도 해 볼 수 있기 때문이다.

혹 그게 가능한 이들이 있더라도 누가 34지구에 찾아오겠는가? 온 우주에 위명이 자자한 지금과 달리 그 시절의 34지구는 그저 변방의 행성에 불과한데.

결국 34지구는 이민자를 직접 구해 왔다.

막 우주 용병 활동을 시작하셨던 어르신들이 멸망하거나, 혹은 위기에 빠진 문명의 사람들을 구출해 오기 시작한 게 바로 현 34지구의 90% 이상을 차지하고 있는 이민자의 시작.

그리고 98지구는 그렇게 '구해진' 문명 중 하나였다.

[다음 역은 98지구입니다. 다음 역에서 내리실 분들께서는 오른쪽 문을 이용하여 주시기 바랍니다.]

[다시 한번 안내해 드립니다. 58분 51초 후 98지구에 도착합니다.]

"후."

나는 체다의 배를 두들겨 자동 사냥을 끝내고 인벤토리를 정리했다. 아스트랄계를 나가는 순간 리벤지 연결이 끊기니 필요한 아이템들을 아르데니아로 옮겨야 한다.

"로그인."

아르데니아로 넘어가 아이템들을 꺼내 둔다.

"랜덤 텔레포트 스크롤 100장…… 하이드 스크롤 30장, 프로텍트 스크롤 30장, 세이프티 스크롤도 30장……. 전설급 송편……."

아이템들을 집무실과 연결된 작업실에 죽 늘어놓는다. 그밖에도 수많은 포션과 영약, 열량이 높은 음식에 최고 수준의 힐러 수십 명까지 대기시켜 놓는다.

그리고 무엇보다.

아이템들이 준비했다.

"어디 보자…… 이게 은신 풀셋. 이게 물리 방어셋. 그리고 이게 마법 방어. 이게 종합…… 이건 속성……."

단독 임무를 수행하기 위해 만반의 준비를 갖춰 놓았다. 이번 임무는 구출이기 때문에 특히나 신경 써야 한다.

나 혼자 산다고 끝나는 게 아니라 구출 대상도 살려놔야 한다.

"로그아웃."

은하철도로 돌아온다.

[다시 한번 안내해 드립니다. 40분 51초 후 98지구에 도착합니다.]

안내 방송에 근처에 앉아 있던 뿔 달린 꼬마가 자신과 비슷한 모양의 뿔을 달고 있는 여성에게 묻는다.

"엄마, 98지구에도 역이 있었나요? 못 들어 본 것 같은데."

"그래, 그런 역은 없단다. 아마 자유 하차를 하는 승객이 있는 모양이지."

부드러운 여성의 말에 꼬마가 갸웃거린다.

"……자유 하차요?"

"그래 자유 하차. 말 그대로 자유롭게 하차한다는 뜻이지."

"그게 무슨 소리예요? 빛의 수만 배 속도로 달리는 은하철도에서 설비의 보조 없이 내린다고요?"

"그렇단다, 얘야."

"……그게 말이 되나요?"

어이없어하는 소년의 모습에 여인이 웃었다.

"후후, 말이 되지. 캔딜러족이 개발했다는 자유 하차 장치가 있다면."

나는 용신족(흔히 말하는 동양룡)으로 보이는 모자의 대화를 들으며 자리에서 일어났다.

내가 출구 쪽에 서자 빠른 석양이 다가와 물었다.

"아니…… 자유 하차 장치를 안 쓰고 내리신다는 게 정말입니까?"

"네."

나는 가볍게 몸을 풀었다. 빠른 석양이 신음한다.

"아니…… 왜요? 무, 물론 초월자시고 충분한 능력이 있으니 그러는 걸 테지만 자유 하차 장치를 굳이 안 쓸 필요가 있습니까?"

그의 말에 나는 담담하게 대답했다.

"157주."

"네?"

"아니, 156주쯤 되겠네요."

"무슨 말씀을……."

[워프를 시작합니다. 3. 2. 1…….]

당황하는 빠른 석양을 두고 온몸에 호신강기를 두른다. 우주에 존재하는 대부분의 물리법칙을 왜곡하고 무시하는 권능!

그러나 그대로 온 세상이 뒤집히는 순간.

쿵!

"큭……!"

호신강기가 온몸을 뒤덮다 못해 세포 단위로 육신을 강화했음에도, 심지어 블랙홀에 들어가도 살아남는다는 극의지체를 완성했음에도 무지막지한 타격이 들어온다. 받아 주는 마법진 없이 아스트랄계에서 내던져진다는 건 그 정도의 의미.

그러나 나는 고통에 신음하는 대신 이를 악물고 속삭였다.

"로그인."

즉시 아르데니아로 들어온다.

"그레이트 힐!"

"그레이트 힐!"

"그레이트 힐!"

기다렸다는 듯 힐링 샤워가 쏟아진다.

극의지체를 이룬 후 치유 주문의 효과가 극히 떨어졌지만 최고 수준의 힐러 수십 명이 힐링을 쏟아 내면 어느 정도 도움이 된다.

심지어 그걸로 끝이 아니다.

〈당신은 플래티넘(Platinum) 랭크입니다!〉

명예신의 옥좌가 상처 입은 육신을 치유한다. 나는 몸 상태가 호전되는 걸 느끼며 내 앞에 차려져 있던 음식을 먹었다.

삼을 비롯한 온갖 종류의 약초를 넣어 통째로 삶은 호박, 꿀에 절여 긴 시간 동안 구워 낸 멧돼지 뒷다리, 대추와 삼 등을 넣고 푹 끓인 백숙, 소고기가 가득한 설렁탕, 다양한 해산물을 넣어 만든 죽 등등.

"후……."

약 30분간 치료와 식사를 이어 나가자 몸이 만전의 상태로 돌아온다.

이게 무슨 미련한 짓인가 싶지만 어쩔 수 없는 일이다.

'하차 장치 너무 비싸.'

자유 하차 장치는 일회용인 주제에 무려 15억 7천만 원이나 한다.

네메시스의 주식을 156주나 살 수 있고 클래스 카드 15만 장을, 9강화 전설 장비로 풀 세트를 맞출 수 있고 주간 패키지를 5년 하고도 7개월 동안 살 수 있는 금액!

몸으로 때울 수 있다면…… 당연히 때우는 게 맞다.

"로그아웃."

현실로 돌아간다. 평소와 같은 34지구가 아닌 우주 공간.

보통의 인간이 내던져진다면 죽을 수밖에 없는 어둠 속이지만 내게는 아무런 문제가 없다.

"와라."

소리 내 말한다. 공기가 없는 우주 공간이었기에 그 소리는 어디에도 가지 못하지만 상관없다.

내가 말했다는 게 가장 중요하니까.

"레플리."

훅.

새까만 어둠 속에 새까만 어둠을 휘감은 죽음의 용이 모습을 드러낸다.

신화급 펫, 망령룡 레플리다.

'이놈을 내가 못 잡아서 이렇게 오래 고생 중이라 이거지.'

당연하지만 이 녀석이 스페셜 보스만큼 강하지는 않다.

일반급 몬스터와 엘리트 몬스터가 다르고 엘리트 몬스터와 보스 몬스터가 다르듯, 같은 망령룡이라 해도 [펫]과 [스페셜 보스] 사이의 격은 그야말로 천지 차이니까.

'뭐, 그래도.'

망령룡의 등에 내려선다. 레플리가 그 거대한 날개를 펼쳤다.

'쓸 만하지.'

쿠아아!

비행을 시작한다. 속도는 상상을 초월해서 어지간한 우주선보다도 빠르다. 이는 레플리의 비행 능력이 뛰어나서이기도 하지만 환경 탓이기도 하다.

망령룡으로서 망자들의 왕 역할을 하고 있지만, 녀석의 속성은 죽음(死)이 아닌 어둠(暗).

흔히 말하는 우주전(宇宙戰) 최강 속성이다.

'……저기군.'

나는 레플리의 등에 서서 급속도로 확대되어 가는 행성을 바라보았다.

그곳에서 태어나지도, 땅에 한 발자국 내디뎌 본 적이 없음에도 평생 내 뒤를 따라다닌 장소.

500년 전 마법의 신인 염룡(炎龍) 카인이 100개로 복사 후 변수를 추가해 분화시킨 지구 중 98번째.

'내가 여기에 오게 될 줄이야…….'

34지구가 종말 프로젝트와 만나 종말의 위기를 마주한 것처럼 98지구 역시 종말의 위기를 마주했고, 34지구와 달리 그것을 이겨 내지 못하고 멸망했다.

우주 괴수, 그로테스크(Grotesque).

그것은 [연합]의 대적(大敵)이라 불리는 존재로 우주 역병이라고도 불리는 영적 기생체다. 그 우두머리는 킹(King)이라고 명명된 흑색혹성으로 태양의 수십 배에 달하는 무지막지한 크기를 가진 괴물 중의 괴물이다.

'최상위 신에 준하는 무시무시한 괴물이라지.'

그로테스크는 [킹-퀸-로드-슬레이어-인펙터]라는 계급을 가지고 있으며 등급에 따라 그 힘이 극명하게 나뉘는 존재다.

[인펙터(Infecter)]란 흔히 감염자(感染者)라 불리는 존재로 킹이 뿜어낸 X-벨트, 흑풍(黑風)이라고 불리는 대전입자의 흐름에 휩쓸린 존재들이 거기에 반하는 정신의 방향성이나 저항 DNA를 갖추지 못해 변하게 되는 존재를 말한다.

그들은 X-벨트를 뒤집어쓴 횟수에 따라 1~4기로 분류되며 초기에는 좀비에 가까운 미약한 능력을 갖추지만, 최종적으로 9레벨에 달하는 힘을 가지게 된다.

일반적인 행성에서 맞닥뜨리는 그로테스크는 이것이 전부로 어지간한 행성은 인펙터만으로 멸망을 맞이하고는 한다.

[슬레이어]는 속칭 전마(戰魔)라 불리는 존재로 4기에 들어선 인펙터가 까다로운 조건에 의해 진화한 존재를 말한다.

그들은 중-최상급 마족에 맞먹는 전투 병기들로 살아온 세월에 따라 레벨 10에서 19까지 달하는 폭넓은 전투력을 가지고 있다. 일반적으로 상위 그로테스크라고 하면 바로 이들을 말한다.

[로드], 혹은 [대군주(大君主)]라 불리는 존재는 그로테스크의 지배계층으로 초월경에 들어선 괴물들이다.

그들은 퀸이 직접 힘을 써 낳은 자식으로 어지간한 성룡이나 하급 신에 맞먹는 힘을 가지고 있으며 레벨로 치면 20레벨에서 25레벨 정도다.

'쉽게 말해 좀비 아포칼립스지.'

너무나 전형적이라서 온갖 영화, 게임, 소설 등에 등장하곤 한다. 한때는 유행이기도 했다.

'최근에는 몬스터 사태에 밀려서 거의 안 다뤄지는 소재기는 하지만…….'

생각에 잠긴 사이에도 레플리는 우주를 날아 98지구에 접근했다. 애초에 방향을 잡고 은하철도에서 내린 것이었기에 접근은 어렵지 않다.

98지구가 육안으로 지상의 상태를 확인 가능할 정도로 가까워졌다.

"어……?"

98지구에 가야 한다고 했을 때 내가 상상한 광경이 있었다.

파괴된 도시를 떠도는 수십억 단위의 감염자와 그 사이사이에 섞여 있는 수십만의 슬레이어.

그리고 그 모두를 통솔하고 있을 초월자. 대군주까지.

인간이 살던 문명은 그로테스크에게 완전히 장악되어 나는 끝도 없는 시체의 파도를 헤치며 위험 지대에 진입한 연구원을 구하게 될 것이다.

그렇게 생각했는데…….

"아니 이게…… 뭐야?"

나는 98지구를 보았다.

[크오오오오오----!]

무지막지한 굉음과 함께 기어 다니는 빌딩이 고개를 쳐든다. 대지가 마치 파도처럼 출렁이며 바닥을 뛰어다니던 감염자를 모조리 갈아 버린다.

그것은 내게 있어 너무나 익숙한 실루엣.

완전체(신화).

랜드웜.

쿠르르륵-!

물이 쏟아진다. 해일이 들이닥쳐 사방을 잠식한다.

시커멓기까지 한 바닷물에서 거인이 몸을 일으킨다.

[키! 케다! 우라타!]

주먹으로 허공을 치자 감염자들이 갈기갈기 찢겨 흩어진다. 완성자를 넘어서는 전투력을 가진 슬레이어들도 미증유의 힘을 품은 거인 앞에서 자신의 기세를 자랑하지 못한다.

[22레벨]

심해의 혼돈. 쉠곤

그뿐이 아니다.

하늘을 날아다니는 망령룡, 바다를 헤엄치고 있는 출신 게임을 알 수 없는 해룡, 벼락이 번쩍이는 구름 속에서는 뇌신조 썬더버드가 날아다닌다.

"아니……."

기가 막혀 웃음도 안 나온다.

"아니, 왜 그로테스크가 털리고 있어?"

어이없는 광경이다. 수많은 문명을 파괴한 우주적인 재앙, 대우주 최강의 [연합]이 대적(大賊)이라 분류한 그로테스크가 마치 재난 영화의 엑스트라처럼 박살 나고 있다.

그러나 냉정하게 생각해 보면 당연한 일이다.

아무리 우주적 재앙이라 불리는 그로테스크라도 드넓은 우주에서 활동하는 이상 행성 하나에 투사할 수 있는 전력에는 한계가 있다.

여왕이 직접 힘을 써 만든 대군주쯤 되어야 초월지경에 이르는데 지금, 이 행성에서 활개 치는 초월급 몬스터가 여섯이나 된다.

이미 감염이 끝난 98지구이기에 수십억의 감염자와 수십만의 슬레이어가 있지만 그렇다 해도 여섯의 초월자를 감당하긴 무리다.

"그나저나 서로 싸울 줄은 몰랐네. 하기야 그로테스크랑 몬스터가 친해질 이유는 없지."

물론 멸망한 98지구에 몬스터가 왜 등장했나 하는 문제가 있지만…… 차분히 생각해 보니 이유를 짐작하기 어렵지 않다.

'살아만 있으면 감염자든 뭐든 다 똑같군. 대상을 가리지 않는 거야.'

몬스터는 지성체가 가장 많은 곳, 혹은 그 많은 지성체와 맞먹을 정도의 강자가 자리한 좌표로 [던져]진다.

이는 전 우주에서 벌어지고 있는 현상으로 어디에서나 공평하게 이루어지는 일이다.

즉, 그로테스크는.

다른 문명이 그러하듯 '평범하게' 습격을 당하고 있다.

“별의별 일이 다 있군.”

나는 레플리의 등에서 98지구를 내려다보며 생각을 정리했다.

전혀 예상치 못한 상황이지만…… 내게 나쁜 일은 아니다.

팟!

레플리의 소환을 취소한다. 98지구의 중력이 날 끌어당기는 것을 느끼며 시스템 UI를 실행한다.

상태창을 켠 후 클래스로 들어가서.

★☆전직 완료☆★

검신(신화) => 공허존자(신화)

현재의 난 3전사, 3도적, 3술사에 각기 2개씩 있는 모든 신화 클래스를 가지고 있다.

도합 18개의 신화 클래스.

이제는 신화 클래스가 23개가 된 리벤지만큼은 아니어도 이건 엄청난 선택지다. 어떤 상황에서든 최선의 선택을 하기에 부족함이 없는 수준.

나는 공허존자의 트레이드마크나 다름없는 특성을 발동했다.

존재부정(存在不定).

육신이 투명해지는 건 물론이고 모든 기척과 존재감이 사라져 버린다. 나조차 내 몸이 느껴지지 않아 허공에 의식이 붕 뜬 것처럼 느껴질 정도.

나는 감각에 집중해 육신을 인지한 뒤 대기권을 돌파, 차원을 밟으며 대지에 내려선다.

[라! 에타! 에디오!]

남쪽으로 보이는 해변에 몰려오는 해일 속에서 고함을 지르는 쉘곤이 보인다.

파지지지직!

북쪽에서는 빛살처럼 하강한 썬더버드가 번개의 폭풍을 휘두르고 있다.

수천수만의 감염자와 슬레이어들이 악을 쓰며 저항하지만, 그래 봤자 장난감처럼 허망하게 죽어 나갈 뿐이다.

'보통 난리가 아니네.'

나는 혹시나 초월급 몬스터들에게 인지되지 않도록 조심하며 용병 등록증을 꺼냈다.

'인벤토리.'

용병 등록증에 포함된 아공간에서 미리 받아 두었던 탐색기를 꺼낸다. 탐색기에 마지막으로 구조 신호가 왔던 장소가 표시된다.

'북동쪽으로 217km.'

애초에 노리고 내려섰던 만큼 구출 신호가 오는 장소는 매우 가깝다.

'가 봐야겠군. 아, 그전에.'

나는 배낭의 형태로 등에 매달려 있던 체다를 땅에 내려놓았다.

'체다. 구매했던 스펠을 작동시켜라.'

-매직 스토어의 장바구니가 개방됩니다.

웅!

은폐된 마력이 체다를 휘돈다. 오늘을 위해 매직 스토어에서 1억 이상의 주문을 구매해 놓았다.

'추적 촬영 모드…… 거리는 1km에서 5km.'

벌 수 있을 때 벌어야 한다. 98지구의 특이한 환경과 상황, 그리고 최고의 라이징 스타인 내 임무 수행 영상이라면 충분히 괜찮은 가격에 팔리겠지.

'물론 재수 없으면 체다가 들켜 파괴당할 수도 있지만…… 그건 어쩔 수 없다. 투자라고 생각해야지.'

나는 체다를 내버려 둔 채 천천히 이동을 시작했다. 신화급 특성, 존재부정으로 인해 내 기척을 눈치채는 녀석은 없었다.

아니, 어쩌면 존재부정이 아니어도 없었을지도 모른다.

98지구는 그만큼 소란스러웠다.

쿠구궁!

콰과과광!

천지가 개벽하는 듯 무지막지한 굉음과 충격파가 대기를 떨쳐 울린다.

초월급 몬스터가 등장한 지 꽤 시간이 지난 듯 98지구는 [지구]들이 가지는 공통적인 지형이 전혀 없다.

맨틀이 뒤틀리고 바다가 육지를 뒤덮는 대파괴의 현장.

스슥.

존재부정을 유지한 채 없어진 산을 넘고 흙탕물이 콸콸 흐르는 물을 건넌다.

쿠구궁…… 콰광!

화산이 터진다.

'가지가지 하네, 진짜.'

가볍게 허공을 밟고 지나간다. 극의지체의 육신은 용암에서 헤엄쳐도 상관없지만, 괜히 흔적을 남길 이유가 없다.

징…….

한 손에 들고 있던 탐색기가 진동한다. 목적지에 도착했다는 뜻이다.

'……없군.'

그러나 주변을 둘러봐도 아무것도 없다. 자리를 떴거나 은폐나 왜곡 주문을 사용해 모습을 숨겼다는 말이다.

'그러고 보니 구출 대상이…….'

나는 임무 정보를 떠올렸다.

[세릴 하룩 박사]

우로보로스 소속 생물학자. 논문 작성을 위해 98지구에 들렀다 연락 두절.

8클래스 마스터, 9클래스 주문 2종 사역, 테케아 연방의 공주.

'그래 절대 약한 녀석이 아니다. 하기야 그러니 위험지대에 자신만만하게 왔겠지만.'

나는 탐색기가 표시해 준 장소를 중심으로 크게 원을 그리며 수색을 시작했다.

"죽음이 찾아오는도다! 절망이 그치지 않는도다!"

"키에엑!"

"블러드 오크들이여! 적들을 찢어 버려라!"

98지구에서 설치고 있는 건 초월급 몬스터만이 아니어서 온갖 종류의 몬스터들이 괴성을 지르며 감염자들과 충돌한다. 나는 그들 사이를 오가다가 문득 기묘한 광경을 보았다.

팟!

몬스터 중 일부가 허공에서 사라진다.

나는 즉시 녀석이 사라진 자리에 도착했다.

웅!

극의지체의 [만물저항]이 작동하자 뒤틀린 차원의 흐름이 피부로 감지된다.

'……찾았다.'

찌이익…….

차원을 양손으로 잡고 살살 찢는다. 클래스 카드를 찢을 때만큼이나 조심스러운 손길에 차원이 갈라지며 그 너머의 모습이 보인다.

[이……! 양산된 가짜 초월자 따위가……!]

[라따투아카!]

쩌정!

충격파에 무너질 뻔한 존재부정을 추스르며 공간을 넘는다. 찢어진 공간은 삽시간에 아물었다.

'……드디어 나왔군.'

나는 쉠곤과 싸우는 흉측한 괴물을 보았다.

심해의 혼돈 쉠곤과 맞먹을 정도의 덩치. 마치 곤충의 그것을 닮은 갑각에 활짝 펼쳐져 빛을 뿌려 대는 열장의 날개.

요리 보고 저리 봐도 몬스터지만 지금 상황상 그럴 리는 없다.

'대군주.'

그것은 초월자의 경지에 이른 그로테스크를 말한다.

무지막지한 수의 감염자를 확보하거나 깨달음을 얻어 격을 올린 슬레이어나 그로테스크의 여왕, 퀸(Queen)이

특별히 신경 써 만들어 낸 존재.

수없이 많은 지성체를 죽이고 수많은 문명에 크나큰 상처를 입힌 공포의 화신.

대우주의 역병 같은 그 존재는.

쩍!

[크악!?]

쉠곤에게 얻어맞고 엉망으로 바닥에 처박힌다.

[그에타! HA-HA-HA!]

쉠곤이 그 입을 크게 벌려 화통하게 웃는다. 대군주의 얼굴이 일그러진다.

[이-! 이 가짜 놈이!]

번쩍!

눈부신 빛의 화살이 쉠곤을 후려친다. 문자 그대로 빛의 속도라 쉠곤도 피해 내지 못한다.

그러나.

치이익!

뚫렸던 구멍이 삽시간에 아문다. 쉠곤의 얼굴에 섬뜩한 미소가 피어오른다.

쿠쾅!

다시 충돌한다.

'쉠곤이 이기겠군.'

대군주는 초월의 존재지만 고작 문턱을 넘었을 뿐인 녀석의 힘으로는, 22레벨의 강자인 쉠곤을 이길 수는 없다.

하위 문명에서야 절망의 화신일지 몰라도 초월자 사이에서는 바닥에 불과한 것이 녀석의 역량이다.

'뭐, 그래도 초월자는 초월자니 금방 죽지는 않겠지.'

나는 녀석들에게 인지되지 않도록 천천히 이동했다.

안타깝지만 체다는 차원의 틈에 들어오지 못해 바깥 상황을 촬영을 시켜 놓았다.

"어? 신호가……."

부드러운 목소리가 들린다. 두 초월자가 싸우고 있던 언덕 너머, 기묘한 마력 파동으로 숨겨져 있는 동굴.

나는 탐지기를 확인했다. 푸른빛을 낸다. 안내가 종료되었다는 뜻.

동굴 안으로 들어간다.

"저기! 구출대분! 혹시 지금 주변에 계신가요? 도와주세요!"

애타는 목소리에 나는 존재부정을 유지한 채 동굴 안으로 들어섰다.

"윽…… 구출대라니 무슨 말입니까, 하룩 박사님."

"말하지 마세요! 피가 흐르잖아요! 저기요! 주변에 안 계시나요?"

티라노사우루스 한 마리가 품에 사람을 끼고 있다.

'아…… 이건 또 새롭군.'

식인 공룡이 도시락을 까먹으려는 듯한 광경이지만, 아니다. 왜냐하면, 바로 저 티라노사우루스가 내가 구출해야 할 연구원. 세릴 하룩이기 때문이다.

'공룡족이라.'

테케아 연방의 지배종으로, 강대한 신체 능력과 영능 적성을 가진 상위종이다. 타고난 야성이 너무 강하다는 단점 때문에 인간족에게 밀렸지만, 그럼에도 거대한 세력을 가진 종족.

문제는 공룡족이 아닌 인간으로 보이는 사내다.

"어째서…… 그런 녀석을 품고 있는 겁니까?"

존재부정을 푼 난, 그녀의 품에 안긴 사내를 바라보았다.

보라색 머리칼에 조각 같은 이목구비, 눈 밑이 검고 피부가 창백해 좀 퇴폐적으로 보이긴 해도 누구도 부정할 수 없을 정도로 빼어난 미모를 가진 사내.

당장이라도 저 티라노사우루스의 손에서 구출해야 할 것만 같지만 현실은 정반대다.

'이놈…… 그로테스크다.'

그것도 보통의 감염자나 슬레이어 수준이 아니다.

심지어 대군주보다도 특별한 뭔가가 느껴진다.

"아! 오셨군요! 치료, 치료가 필요해요!"

"……'그걸' 치료하라고요?"

나를 보고 반색하는 세릴의 모습에 어이없어한다.

'그냥 그로테스크도 아니고 딱 봐도 고위 그로테스크인데 치료하라고?'

말도 안 되는 소리다. 심지어 나는 그로테스크로 인해 멸망한 98지구 출신의 이민자 아니던가?

"프린스 씨는 저를 구하려다 크게 다치셨어요! 이대로라면 죽고 말 거예요!"

"……프린스 씨?"

기묘한 이름에 멈칫한다.

"네, 얼마든지 도망칠 수 있었는데 저를 위해……."

커다란 덩치의 티라노사우르스가 울먹인다. 그녀가 여성이라는 것을 알고 있음에도 도저히 적응이 안 되는 광경.

심지어 목소리도 꾀꼬리처럼 곱다.

"으…… 윽. 말을 이상하게 하지 마십시오."

그때 프린스가 눈을 뜬다. 몸에 수십 개의 구멍이 뚫린 상태임에도 두 눈에 정광이 흐른다.

"프린스 씨!"

"당신을 위해서가 아니라…… 연구를 위해서입니다. 논문이 거의 다 완성된 상태인데 그걸 허무하게 날릴 수는…… 크억……."

"프린스 씨! 이런! 빨리! 빨리 치료해야 해요!"

세릴이 고개를 돌려 나를 바라본다. 나는 고개를 흔들었다.

"제가 받은 임무는 정체불명의 그로테스크가 아니라 당신을 구하는 겁니다. 세릴 연구원. 당장 빠져나가야 하니 최대한 작은 형태로 변형 부탁드립니다."

생물학자에 8클래스 마법사면 당연히 변형 마법 정도는 사용할 수 있을 것이다.

"……싫어요."

"뭐라고요?"

머리통이 내 몸통만 한 티라노사우르스가 도리도리 고개를 흔든다.

"프린스 씨를 살려야 해요! 포션나 힐링 앰플이라도 주세요!"

"아니 이게 무슨."

절로 인상이 찡그려진다. 아니 이 미친 공룡 대가리가 무슨 소리를 하고 있는 거야?

팟!

나는 정신 나간 요청에 고개를 끄덕이는 대신 인벤토리를 열었다. 포션을 꺼내려는 건 당연히 아니었다.

슥.

히페리온을 꺼낸다.

"아, 아니 지금 뭘 하시려는 거예요!?"

시커먼 검날에 기겁하는 세릴의 말에 대답하는 대신 검강을 뽑아 내려는 순간이었다.

"2,000만 게럴트!"

세릴의 고함에 멈칫한다.

"아니 지금 무슨……."

“3,000만 게럴트! 이 이상은 힘들어요!”

“…….”

그녀의 말에 생각한다. 1게럴트는 34지구에서 3,000원.

‘즉 3,000만 게럴트는.’

900억.

“……이상한 소리 하지 마십시오.”

잠깐 흔들렸지만 이내 고개를 흔들었다. 아무리 돈이 중요해도 그로테스크를 살려 둘 수는 없다.

150시간이나 써서 98지구에 온 이상, 어차피 최대한 다 죽이고 갈 생각이었다.

웅!

검강을 뽑아낸다. 그리고 휘두르려는 순간.

“……1억 게럴트.”

세릴의 품에 안겨 있던 프린스가 힘겹게 말한다.

“1억 게럴트를 드리겠습니다.”

“1억 게럴트라…….”

한화로 3천억 원이다. 보통 사람은 평생을 벌어도 모을 수 없고 심지어 부자라 해도 쉽게 도달할 수 없는 액수의 돈.

어지간한 재벌들도 자산으로나 가지고 있지 3,000억을 현금으로 가지고 있는 경우는 극히 드물겠지.

‘심지어 이 3천억이라는 것도 34지구 기준이지.’

인터넷을 돌아다니다 보면 종종 이런 글들이 보인다.

[바짝 돈 벌어 10억 정도 들고 다른 3문명으로 이주하면 대궐 같은 집에서 예쁜 아내 10명 두고 살 수 있다!
더 열심히 일해서 아이돌 멤버 맞추듯 아내 모아야지!]

34지구의 화폐 가치는 아주 높아서 비슷한 돈이라면 같은 3문명으로 넘어가도 죽을 때까지 대접을 받으며 살 수 있을 정도이기에 나오는 이야기.

물론 반응은 별로 좋지 않다.

ㄴ 더러운 욕망 잘 들었구요. 근데 아이돌 닮은 마누라가 니 배때기에 칼 찌르고 재산 강탈할 수 있다는 생각은 해 보셨나요?
ㄴ 사기꾼한테 재산 홀랑 털리고 돈 없어서 34지구로 다시는 못 돌아오쥬? 킹받쥬?
ㄴ 다른 문명에는 살인강도라는 게 있단다 게이야…….
ㄴ 정의신, 진실신 없는 데를 무슨 깡으로 가냐…… 마스터급 전투 능력자도 불안한데…….

'굳이 다른 문명을 생각할 필요도 없지. 3,000억이면…… 단순 계산으로 봐도 신화 카드 30장을 뽑을 수 있다.'

농담이 아니라 1억 게릴트라면 엔간한 문명에서는 국가 예산으로나 굴러 가는 돈.

3,000억이 있다면 클래스, 펫, 수호령 세 개를 다 갖춰 준다고 가정해도 신화급 플레이어 10명을 만들 수 있다.

깨달음 없이 스펙만 맞춘 신화급 플레이어는 초월자에 못 미치는 전투력을 가지겠지만…… 그렇다 하더라도 천원 공략에 어마어마한 도움이 되리라.

'주식을 살 수도 있고.'

현재 네메시스의 주가는 1,141만 원으로, 퉁쳐서 천만 원이라 치면 3만 주나 살 수 있다.

과거 수십 주 정도를 쪼개 살 때와 비교조차 할 수 없는 상황.

그러나.

그럼에도.

나는 고개를 흔들었다.

"아니, 있을 수 없는 일이다. 그까짓 돈에 내가 넘어갈 것 같나?"

"저기 죄송하지만, 용병님."

그때 세릴 연구원이 손을 들었다.

"그런 말씀을 하시기엔 고민을 너무 길게 하셨는데……."

"……."

못 들은 걸로 치기로 하고 차분히 설명했다.

"돈이 문제가 아니야. 널 구한다는 건 추후에 문제가

될 수 있어.”

그로테스크는 연합의 대적이자 우주적인 테러리스트 단체다.

독립성이 강하긴 해도 어쨌든 연합에 가입되어 있는 34지구의 용병이 그를 살려 주는 건 여러모로 위험한 일.

‘물론 지금 여기에는 정의신의 시선이 미치지 않지만…… 정보가 새 나가서 진실신의 신관이 사건을 캐묻는 상황이 되면 똑같아. 비밀이 지켜지면 상관없겠지만 그로테스크를 어떻게 믿겠어?’

3,000억도 좋지만 일이 잘못되면 그 돈을 모조리 토해내는 참사가 벌어질 수 있다.

그러나 세릴이 소리친다.

“아니에요!”

“……뭐가 말입니까?”

“프린스 씨는 우로보로스의 학생이에요! 그로테스크의 평화파를 이끄는 유일한 존재입니다. 그가 죽으면 몬스터 사태로 우주가 신음하는 지금 더더욱 큰 전쟁이 벌어질 거예요! 킹이 분노할 테니까요!”

“…….”

그녀의 말에 별로 설득되지는 않았다. 우로보로스의 학생이라서 뭐 어쩌란 말인가? 우로보로스가 용납하면 모두 그래 주기라도 하나?

애초에 우로보로스는 재능과 실력만 있으면 악인이든

범죄자든 다 받아주는 곳이니, 그곳에 소속되어 있다는 것은 그리 대단한 증명이 되지 못한다.

'그리고 프린스가 그로테스크의 평화파를 이끄는 존재라고?'

그 말이 사실일 수 있지만…… 마찬가지로 상관없는 일이다.

평화파라고 그로테스크의 업에서 벗어날 수는 없다. 지금껏 그로테스크에 의해 멸망한 문명이 몇이고 죽어 나간 희생자가 몇이던가?

당장 나만 해도 그로테스크에 의해 멸망한 98지구 생존자의 아들이다.

'하지만 설득이 안 되는 거랑 별개로…… 핑계거리는 되겠군.'

얄팍하기 그지없는 논리와 근거지만 이 정도만 되어도 정의신과 진실신의 위험에서 나 스스로를 변호할 수 있다.

'의견이 갈리기만 해도 명확한 불의는 아니게 되니까.'

어쨌든 이런 [판단]을 할 근거가 있다고 규정되기 때문이다. 단순히 돈을 받고 살려 준 게 아니라 대우주의 평화를 위한 거시적으로 움직인 것일 수도 있기 때문.

"흠."

그러나 여전히 부족하다. 핑계거리는 되지만, 정작 내가 세릴의 말에 설득되지 않았기 때문.

"쿨럭…… 헉…… 헉……."

그리고 그런 나를 향해.

"1억…… 3천."

프린스가 말했다.

"……."

그래.

이게 진짜 설득이지.

★☆전직 완료☆★

공허존자(신화) => 홀리로드(신화)

클래스를 변경하자 전신을 상서로운 기운이 휘감는다.

나는 스킬창을 열어 전설 스킬, 구원의 빛을 시전했다.

우웅--!

"이건……."

말다툼하는 동안에도 시시각각 악화되고 있던 프린스의 몸이 빠르게 회복된다.

거기에서 그치지 않고 인벤토리를 열었다.

팟.

인벤토리에서 송편을 꺼낸다.

'저 녀석한테 송편을 먹여 둬야겠다. 어차피 데리고 나가야 한다면 발목을 안 잡을 정도까지는 회복시켜야 하니.'

(213,186,404,030원)

삑!

(213,175,986,030원)

줄어드는 돈에 절로 얼굴이 찡그려진다.

'아니, 송편 하나에 1,000만 원이나 까인다고?'

아이템 구현의 가격이 지나치게 높게 잡혀 있다. 물질 창조의 기적이라고 생각하면 별것 아닐지 모르지만 내가 먹으면 공짜나 다름없는데 남한테 주려면 이렇게나 소모되다니.

"먹어라."

"……떡?"

"오, 떡을 아는군."

"우로보로스에서 급식으로 몇 번 나와서…… 아니 그런데 이 상황에 떡을?"

"먹으라면 먹어."

내 말에 프린스가 고개를 갸웃거리면서도 송편을 집어 먹었다.

그리고 접시가 완전히 비어지는 순간, 녀석의 표정이 변한다.

"……상처가?"

"약식…… 인 건가요? 하지만 이 정도의 효과라니……."

프린스와 세릴이 놀라워했지만 이마저도 영웅급에 불과하다. 전설급은 죽음의 신전 공략 때 써야 하기에 아껴 두었다.

[라~! 굽타! HA! HA! HA!]

그때 동굴 밖에서 승리의 포효가 들려온다.

'대군주가 죽었군.'

프린스와 세릴 역시 그 사실을 파악한 듯 표정이 어두워졌다.

나는 슬쩍 프린스를 보았다. 대군주쯤 되면 그로테스크 입장에서도 귀한 전력일 텐데 날 원망하거나 슬퍼하는 기색은 느껴지지 않는다.

'사실상 죽는 걸 방치했다는 걸 알 텐데 말이지.'

나는 대군주를 살릴 수 있었다. 협상을 신속하게 마무리하고 나가서 전투를 도왔다면 그렇게 되었겠지.

그러나 그러지 않았다.

'최종적으로 98지구에서 그로테스크건 몬스터건 다 없애 버릴 거야. 어차피 없애야 할 적이면 굳이 살려 놔서 입장이 애매해질 필요가 없지.'

물론 당장은 프린스와 세릴을 구출하는 게 먼저다.

"잠깐 기다리고 있어라."

★☆전직 완료☆★

홀리로드(신화) =〉 검신(신화)

히페리온에 검강을 두르며 동굴을 나간다.

"금방 끝내지."

걸음을 옮기며 정신을 집중하자 대기. 아니, 대해(大海)가 인지된다.

드넓은 바다. 그리고 그 안에서 헤엄치는 온갖 종류의 무공.

'점점 넓고 깊어지는군.'

대기만성의 초식들은 끝없이 만들어지고, 파괴되고, 고쳐지고, 되살려지고 있다.

대기만성이 품을 가능성은 너무나 크고 넓어서, 무학에 대한 이해가 풍부하다고 자신하는 나조차 초식을 벼려 내기가 어려웠다.

아르데니아에서 긴 시간 운기행공한 후 로그아웃해 극강의 일격을 뽑아내는 일심(一心)은 내공이 너무 많아지면서 성립 자체가 불가능하게 되었다.

아광(亞光), 광섬(光閃), 극광(克光)은 시전에 들어가는 시간과 내공, 난이도에 차이가 있을 뿐 다 대동소이하다.

육신을 강화하는 내공의 특성은 이미 극한의 이른 극의 지체에 소소한 보정을 더해 주는 것이 전부.

속성 무공은 내가 품고 있는 8개의 화점에 귀속된다.

무수한 심법과 초식을 품고 있음에도 정작 결과물은 삼

류 무사도 할 수 있는 기본 동작뿐.

턱.

땅을, 정확히는 땅을 포함한 차원을 박차는 순간.

빛의 속도(光速)로 가속한다.

초월자들조차 감히 감당할 수 없는 속도다. 몸을 날린 나조차 이 속도를 제대로 인지할 수가 없으니 더 말해 무엇하겠는가?

문제는 그뿐이 아니다.

물리 세계의 존재가 함부로 이만한 속도를 내면 육체가 파괴되고 만다. 절대 고수가 광속의 검격을 휘두르는 게 불가능하지는 않지만 어디까지나 검강의 끄트머리에서나 가능한 일인 것이다.

'솔직히 말해 무인으로서의 나는 미완성이다.'

대기만성(大器晩成)이라.

너무나 큰 그릇은 채우기 어렵다. 만약 내가 순수한 무인이었다면, 혹여 초월지경에 이르렀다 해도 반쪽짜리에 불과했겠지.

그러나 무공은.

지금의 나를 이루는 일부에 불과하다.

대기만성(大器晩成).

극광(克光).

차원을 짓뭉개는 도약, 빛을 뛰어넘는 속도.

막대한 내공이 집약된 검강, 차원을 잡아 뜯는 근력.

물리 법칙을 넘어서는 생명력, 순간의 미래를 엿보는 전투 예지.

온갖 패시브 스킬, 액티브 스킬.

12배의 물리계수와 14배의 마나계수.

천문에 다다른 무공의 차크라, 절대 고수의 영역에 도달한 검강, 완성된 극의지체.

그리고 그 모든 것을 하나로 묶어 내는 일념(一念).

턱.

쉠곤의 너머에 내려선다.

"로그인."

아르데니아로 넘어간다.

"그레이트 힐!"

"그레이트 힐!"

"그레이트 힐!"

"리커버리!"

쏟아지는 힐을 받으며 식사한다. 그리고 몇 시간 정도 정무를 본다.

그리고 몸에 쌓인 부담이 완전히 씻겨 나갈 때 즈음.

"로그아웃."

현실로 돌아와 몸을 돌린다.

[크아아악!]

쉡곤의 입에서 고통의 비명이 터져 나온다. 반쯤 잘려 나간 녀석의 목에서 폭포수처럼 피가 쏟아지고 있었다.

"이번에도 막았네."

인과의 흐름을 무시하고 솟구친 바닷물이 검격을 빗겨 내 목을 완전히 잘라 내지 못했다.

[크엑! 크르륵!]

그러나 이미 치명상이다. 만전의 상태였다면 이렇게 허망하게 당하지 않았겠지만…… 대군주와 싸우느라 녀석 역시 많은 타격을 입었다.

게다가 승리에 취해 있기까지 했으니.

좌르륵!

순간 바닷물이 솟구쳐 쉡곤의 몸을 뒤덮는다.

평범한 바닷물이 아니다. 시커먼 해수(海水)에서 격렬한 차원 진동이 느껴진다.

'탈출기인가? 전에는 회복기를 쓰더니…… 하기야 34 지구에서 탈출기를 써 봐야 죽을 뿐이겠지.'

그러나 쉐도우 트와이스 발동!

쩍!

[아르아티!?]

경악성과 함께 바닷물이 흔들리는 순간 달려든다.

바닷물이 내 앞을 막아섰지만, 맨몸으로 차원을 찢고 블랙홀에서도 버티는 극의지체 앞에서는 다 소용없는 일이다.

좌악!

바닷물을 잡아 찢고 들어간다. 그리고 두 눈이 찢어지라 치켜뜬 쉠곤의 얼굴이 보인다.

나는 벌써 아물고 있는 녀석의 목을 붙잡았다.

[크르륵! 카르타!]

동시에 쉠곤이 내 몸을 붙들었다.

"흥!"

그러나 코웃음으로 무시한다. 녀석은 날 떨쳐 낼 수 없다. 녀석이 이토록 크고 내가 작더라도…… [근력] 수치는 내가 더 높기 때문이다.

뿌득!

날 잡아 떼려는 손가락을 부러트리고 오히려 더 깊이 들어간다.

[크엑!? 크르라라락……!]

쩍!

발광하는 쉠곤의 목으로 마지막 쉐도우 트와이스가 터지고.

뿌드드득!

쉠곤의 머리를 척추째로 뽑아 버렸다.

쿵! 쿠쿵!

머리가 땅에 떨어짐과 동시에 거대한 육신도 바닥을 뒹군다.

"……."

"……맙소사."

뒤쪽에서 숨죽인 신음 소리가 들렸지만 굳이 돌아보지 않는다. 중요한 건 그들이 아니다.

치익! 치이익!

대지를 솜사탕처럼 녹이는, 그러나 내 몸은 머리칼조차 녹이지 못하는 핏물 속에서 나는 정신을 집중했다.

이내 쉠곤이 숨이 끊어지며 기다리던 것이 등장한다.

촤라랑!

솟구치는 10개의 아이템!

'신화 떴냐!?'

빠르게 아이템들을 살핀다. 그리고 새카만 빛을 흩뿌리는 아이템을 보았다.

난 웃었다.

"하하!"

신화가 떴다. 심지어 그중 7개가 전설 등급!

물론 정확히 [전설] 등급은 아니다. 쉠곤이 속한 게임. [가장 어두운 절망]의 아이템 등급은 전설 등급을 [유물] 등급으로, 신화 등급을 [우주적] 등급으로 분류하니까.

'선구자의 가면은…… 이런 하나인가.'

가장 어두운 절망의 아이템은 리벤지와는 여러모로 다르다. 리벤지처럼 주인공 하나를 가지고 굴리는 게임이 아니기 때문일 것이다.

가장 어두운 절망은 다수의 용병들을 굴려 던전을 클리어하는 로그라이크 게임.

때문에 용병들은 각자 2개의 [액세서리]만을 착용할 수 있었으며.

게임 콘셉트가 콘셉트인지라 하나같이 그 효과가 기괴하기 짝이 없다.

'사기적인 효과가 많지만…… 그 반대급부가 너무 심해.'

속도가 50% 증가하는 대신 방어력이 반 토막이 난다거나 방어력이 두 배로 증가하는 대신 치유를 받을 수 없는 몸이 된다거나.

현실은 자신의 역할에 따라 위치에 따라 일정 부분은 포기해도 되는 게임과 달라서 선구자의 가면만큼 사기적인 능력을 가진 경우는 아주 드물었다.

'하지만 신화…… 아니 우주적 등급은 어떨까?'

즉시 아이템 설명을 확인한다.

[학살 공작의 파이프(우주적)]

공격 시 30% 확률로 무작위 대상 공격.

적 처치 시 스트레스 -2%.

생명력 75% 이상일 시 데미지 반사 50%

생명력 100% 이상일 시 데미지 반사 100%

그것은 15cm 정도 길이의 고풍스러운 파이프 담뱃대다. 정체를 알 수 없는 목재로 만들어진 파이프는 몸통에 금테가 둘러져 있어 제법 고급스럽게 보였다.

'아…… 이게 애매하네. 스트레스 감소라. 게다가 무작위 대상 공격 이거 명중이나 회피처럼 작동이 불가능한 옵션 아닌가?'

그나마 반사 150%가 끌리는 옵션이지만 애초에 나는 맞으며 싸우지 않는다.

극의지체를 완성해 탱커 역할도 수행할 수 있는 몸이지만 애초에 전투 예지가 있는데 왜 맞는단 말인가?

"아…… 얼마 만의 신화급인데 꽝이냐."

3번째 신화급 장비라고 좋아한 것치고는 별것 없다. 신화급 장비인 히페리온이나 스페이스 건틀렛을 생각하면 이게 얼마나 애매한 성능인지 알 수 있으리라.

'스트레스 관리가 중요한 로그라이크 게임에서야 사기급이겠지만…… 별 수 없네. 가지고 있다가 영 별로면 제로섬에 먹여야겠군.'

파이프 담뱃대를 인벤토리에 챙겨 넣은 뒤 고개를 돌린다.

"어디까지 데려다주면 되지?"

내 물음에 세릴에게 부축 받아 동굴을 빠져나온 프린스가 답한다.

"이 빌어먹을 행성에서만 벗어나면 된다. 대체 어떤 힘인지 알 수 없지만…… 이 행성 안에서는 워프가 불가능해."

"워프 불가라."

나는 고개를 돌려 먼 거리에서 이쪽을 바라보는 체다를 바라보았다.

"체다."

팟!

공간을 넘어 내 곁으로 다가온다.

"체다, 워프게이트."

내 말에 체다의 눈이 푸르게 빛난다.

-매직 스토어의 장바구니가 개방됩니다.

-3…… 2…… 1…… 로딩 실패. 주문 구성에 실패했습니다. 에러 코드 SB332211…….

"블링크는 되는데 워프는 안 된다 이 말이군……."

하기야 시간이 아예 없던 것도 아니고 대군주 놈이 버텨 주기까지 하던 상황이었는데 탈출하지 못했다면 그만한 이유가 있을 것이다.

"하지만 워프를 해도 탈출은 불가능할 텐데?"

설사 대마법사라 해도 혼자 항성 간 이동이 가능한 워프게이트를 열 수는 없다.

'스타게이트 같은 대형 설비가 있어야 가능한 일이겠지.'

과연 세릴이 말한다.

"우주까지만 나가면 됩니다. 아스트랄 드라이브를 장착한 소형 우주선이 있어요."

"소형 우주선 따위가 아스트랄 드라이브를?"

어이없는 말이지만 이 상황에 굳이 거짓말할 이유는 없었다.

'우주까지만 나가면 된단 말이지…….'

그렇다면 남은 임무는 생각만큼 위험하지 않을 것이다.

슥.

나는 입고 있던 양복을 벗었다. 플라워에게 선물 받은 양복이 곱게 접혀 용병관리증의 인벤토리에 들어간다.

궁극 주문이 겹겹이 걸려 있어 입고 전투를 벌이기에 아무 부족함이 없는 물건이지만…… [전력]으로 싸우려면 당연히 기능이 있는 장비를 걸쳐야 하리라.

"꺅!? 왜, 왜 다 벗으시는 거예요!?"

새된 비명 소리에 어이가 없어 세릴을 바라본다.

'아니, 이 티라노사우루스가 지금 뭐라는 거야?'

굳이 대꾸할 가치도 없었기에 난 속옷 차림 그대로 인벤토리를 열었다.

'주무기는 히페리온.'

이건 고정이다. 마검왕을 쓰러트리고 획득한 히페리온은, 신화 등급이라는 걸 감안하더라도 사기급 아이템이니까. 특히나 녀석의 소켓에 박혀 있는 5중첩의 황금 물결은 신화급 몬스터를 잡았을 때 영웅급 아이템보다 전설급 아이템이 더 많이 떨어지게 하는 데에 지대한 역할을 하고 있다.

성능도 좋은데 파밍 장비로서도 최상이라 다른 무기를 들 수가 없다. 내가 여러 신화 클래스를 얻었음에도 검신 클래스만 쓰는 이유도 히페리온 때문이다.

'장갑은…… 드디어 개시인가.'

나는 차크라를 열었다.

"아르데니아. 천문(天門). 개방(開放)."

내면의 소우주에 정신을 집중한다. 8개의 화점을 차지해 차크라 역량이 9층에 이른 지금 내가 불러오지 못할 아이템은 존재하지 않는다.

"소환(召喚). 스페이스 건틀렛."

팟!

마치 마술처럼 등장한 판금 장갑은 새로 장만한 신화급 방어구다. [자유간격]에 [초월-선제공격(先制攻擊)]에 [범위증가(궁극)(패시브)]까지 달려 있는, 무기인지 방어구인지 구분도 안 가는 사기 장갑.

"소환(召喚). 드래고닉 헬멧."

전설 9강 아이템이다. 방어구가 다 그렇듯 방어력 높고 스킬 데미지 증폭 등이 달려 있는 게 전부지만, 중요한 건 9강화로 생겨난 특수 효과다.

[특수 효과 : 가드 브레이크(최상급)]

평타 및 스킬 적중 시 실드 계열 효과에 추가 타격. 본 효과로 실드 파괴 시 일정 시간(15초) 동안 동일 효과 사용 불가.

'초월자쯤 되면 맨몸으로 맞는 놈이 거의 없으니.'

이게 호신강기에까지 먹힌다는 건 이미 확인이 끝난 후다. 내 공격을 보호막으로 막는 녀석들은 모두 일방적인 손해를 볼 수밖에 없으리라.

"소환(召喚)."

블랙 썬 상의와 블랙 썬 하의를 소환해 입는다. 당연하지만 둘 다 전설 9강으로 [가드 브레이크(최상)]가 달려 있다.

슥, 철컥 철컥!

차분하게 장비들을 장착한다. 재질은 당연히 다 판금이다. 힘이 넘쳐 나는데 가죽이나 천옷을 입을 이유가 없다.

"소환(召喚)."

마지막으로 사신의 부츠.

역시나 전설 9강 아이템으로 최상급 블링크가 달려 있다. 이동 거리는 5미터로 매우 짧지만, 실전에서 선딜 없는 공간 이동은 당연히 쓸모가 많다.

"저기요, 용병님?"

세릴이 조마조마한 얼굴로 손짓한다.

'용병님이라…… 그러고 보니 날 전혀 모르는 눈치군?'

하기야 게임신의 사도에 초월자라 해 봐야 34지구에서나 유명한 네임벨류다. 레온하르트 제국도 아닌 완전히 다른 문화권의 존재가 알 리 만무하겠지.

"네, 세릴 연구원."

"저기, 슬슬 움직여야 하지 않을까요?"

그녀의 시선을 따라 하늘을 올려다본다.

쿠르릉!

먹구름 속에서 벼락이 치며 그 사이로 번쩍이는 벼락의 새가 보인다.

쿠르르……!

저 멀리서부터 해일이 밀려오고 있다. 그 해일 한가운데에 반쯤 잠겨 있는 쉘곤의 모습이 보인다.

둘 다 거리가 아주 멀었지만, 정확히 이쪽을 응시하고 있는 게 느껴진다.

'그러고 보니 쉘곤은 잡고 가고 싶은데 짐덩이들 때문에 그게 안 되네.'

속으로 투덜거리면서도 다시 차크라를 개문한다.

[수라의 팔찌(전설) +9] [금룡의 팔찌(전설) +9]

[치명적인 참수 반지(전설) +9] [치명적인 교살 반지(전설) +9]

[치명적인 거인의 벨트(전설) +9]
[치명적인 참수 귀걸이(전설) +9] [치명적인 교살 귀걸이(전설) +9]

팔찌를 차고 반지를 끼고 귀걸이를 장착한다.
콘셉트는 [치명타 데미지].
검신인 나는 어차피 치명타 플레이를 해야 하니 그 어떤 옵션보다 치명타 데미지가 효율이 좋다.
"좋아."
마침내 모든 장비를 마친 난 마지막으로 파이프 담뱃대를 물었다.
"……오."
초월의 감각에 뭔가 감지된다. 이 담뱃대의 효과가 적용된다는 뜻이다.
"다행이네. 손가락이 열 개여도 반지는 두 개밖에 못 꼈는데."
리벤지나 블레이드&매직의 [아이템 장착 제한]과 겹치지 않는 모양이다. 자체적으로 어떤 스텟을 가진 건 아니기 때문일까.
'하긴 부활 아이템도 알아서 적용됐었지.'
나는 고개를 끄덕인 후 안절부절못하고 있는 세릴을 돌아보았다.
"전투는 가능합니까?"

"프린스 님도 이제 막 회복된 상태고 저도 오랫동안 쉬지 않고 주문을 써 와서……."

둘 다 전력이 안 된다는 소리. 그러나 송편을 먹으며 부상에서는 벗어났으니 그렇게 최악의 상황도 아니다.

"레플리."

훙!

바람 소리와 함께 거대한 망령룡이 모습을 드러낸다.

"……몬스터가!?"

기겁하는 세릴과 달리 프린스는 눈을 가늘게 뜰 뿐이다.

"비슷하지만…… 느낌이 다르군. 전해지는 힘도 한 단계. 아니 두 단계는 낮고…… 몬스터를 잡아서 테이밍 하는 권능이라도 있나?"

"재미있는 상상이군. 일단 타라."

내 말에 세릴이 프린스를 번쩍 들고 레플리의 등에 올랐다. 꾀꼬리 같은 목소리를 가진 여성이지만 그녀는 몸높이만 해도 4미터, 체중만 해도 8톤에 이르는 공룡족.

인간 사이즈의 프린스를 옮기는 데 어려움이 있을 리 없다.

'오히려 너무 무거워서 비행에 방해될까 봐 걱정이군.'

그러나 그건 레플리를 너무 무시한 생각이었다.

[후후. 귀여운 꼬마 아가씨로군.]

"아, 안녕하세요. 세릴이라고 합니다."

[이름도 귀엽군.]

높이 4미터, 체중 8톤의 티라노사우루스는 인간 시각에서는 그야말로 괴물 중의 괴물이지만.

몸길이만 해도 수백 미터가 넘는 레플리의 시각에서는 새끼 강아지나 고양이에 가까운 크기에 불과하다.

"쓸데없는 소리 하지 말고. 고."

[그러지.]

훙!

레플리의 날개가 펼쳐지고 그 거대한 몸이 삽시간에 하늘로 치솟는다.

스페셜 보스만큼은 못하다 해도 레플리는 9서클의 대마법사. 그 거대한 몸에도 무지막지한 속도로 상승을 시작한다.

"어디 보자."

나는 처음 그 자리에 서서 하늘로 솟구치는 레플리와 그 너머에서 번쩍이는 천둥의 새를 보았다.

몬스터들은 그로테스크의 왕자로 짐작되는 녀석에게 관심이 많아 보였다. 하늘의 썬더버드도, 바다의 쉘곤도 초월자인 내가 아닌 녀석을 보고 있다.

"뭐, 신경 안 써 주면 나야 좋지."

기이익…….

몸을 웅크린다. 단지 그것만으로 주변의 공기가 파르르 떨린다.

[끼룩?]

[아우라!]

날아오른 레플리의 위를 막아서던 썬더버드도, 하늘을 향해 포효하던 쉘곤도 움찔 놀라 내 쪽으로 고개를 돌렸다.

내게 위협을 느꼈을 테니 기습적으로 레플리를 노릴 수는 없을 것이다.

'뭐 그러거나 말거나.'

끼이이익!

웅크린다. 한껏 웅크린다. 어느 근육은 뒤틀렸고 어느 근육은 부풀어 올랐다. 땅이 흔들리고 공기는 웽웽 울린다.

"로그인."

아르데니아로 넘어간다.

"그레이트 힐!"

"그레이트 힐!"

"그레이트 힐!"

"리커버리!"

힐링 샤워를 받고 식사를 진행한다. 그리고 길드 타워 옥상에 올라 명상한다.

깊고 넓은 대해(大海).

나는 그 안에서 헤엄치던 모든 무공을 자극했다. 물고기들이 미친 듯 바다를 질주하고 몸부림쳐 바닷물을 뒤흔든다.

잔잔하던 대해에 폭풍이 불고.

고오오오오----!

무진장(無盡藏)의 내공이 미친 듯이 날뛰기 시작한다.

'이 느낌……. 주화입마(走火入魔)로군.'

만일 내가 보통의 사람이었다면 날뛰는 내공을 이겨 내지 못하고 전신 혈맥이 터지거나, 심하면 그냥 온몸이 터져 죽어 버렸을 것이다.

과연 그걸 증명이라도 하듯, 내가 앉아 있는 길드 타워의 옥상에 미친 듯 마나의 폭풍이 휘몰아친다.

'하지만 상관없다.'

나는 극의지체의 소유자.

극도로 응축된 검강조차 버텨 내는 몸이다. 목적의식 없이 날뛰는 마나 따위로 파괴는커녕 부상조차 입힐 수 없다.

웅! 우웅---!

쿠구궁!

"워매. 마른 하늘에 천둥소리가 나……."

"저기 저 옥상에서 황제폐하께서 운기조식을 하신다네."

"아니 무슨 운기조식이 이래? 도시 전체의 마나가 흔들리는 거 같아."

"헉헉…… 마나를 감지하는 것만으로 숨이 막혀……."

나는 앉은 자리에서 서른 시간이 넘도록 운기조식했다. 날뛰던 내공을 가라앉히려 노력하지 않았다. 그저 그 엄청난 내공에 방향성을 부여한다.

그리고 그 모든 게 정리되는 순간.

[치명타!]

[치명타!]

[치명타!]

성 밖을 나가 몬스터들을 닥치는 대로 쳐 죽여 치명타 스텍을 쌓고.

"로그아웃."

현실로 나가.

쿵.

뛰었다.

[천검-관월아(貫月牙)]&[천지를 가르는 검]

대기만성(大器晩成). 파천극광(破天克光).

번쩍--!

굉음조차 없다. 썬더버드는 초월적인 반사 신경으로 회피와 방어를 동시에 실행했지만 내 속도도 절대 그에 부족하지 않았으며…….

[자유간격]은 회피를 차단, [가드 브레이크]는 전하결계를 박살낸다.

거기에 '상대방의 에너지가 99% 이상일 시 500%의 추가 데미지'의 효과를 가진 [초월-선제공격(先制攻擊)]까지.

[끼야야아---악!]

찢어지는 비명과 함께 무지막지한 전격의 폭풍이 휘몰아친다. 주변을 뒤덮고 있던 먹구름이 다 날아가 구름한 점 없는 하늘이 모습을 드러낸다.

치이익!

나는 수증기가 피어오르는 몸으로 레플리의 등에 내려서서 한탄했다.

"아."

가슴이 아프다.

"이렇게까지 해도 한 방에 안 죽네."

"……."

"아니, 이게, 무슨……."

그로테스크의 왕자와 공룡족이 질린 표정으로 나를 바라보고 있었다.

"로그인."

아르데니아로 돌아간다.

"그레이트 힐!"

"그레이트 힐!"

"그레이트 힐!"

"리커버리!"

힐링 샤워를 받는다.

"희귀급 요리 백년초선인장 구이를 활용한 만수무강(萬壽無疆) 코스입니다."

"영약부에서 용과를 재료로 만들어 낸 드래곤 포션입니다."

"요번에 세계수의 성에서 드랍된 영웅급 요리……."

고급스러운 식사를 진행한다.

"안녕히 주무세요. 폐하."

"그래……."

그리고 늘어지게 잔다.

'와, 이거 타격이 엄청나긴 하네.'

기본적으로 극광 자체가 육체에 어마어마한 부담을 주는 기술이다. 강기로 몸을 감쌌다 해도 물리적인 육체를 가지고 광속을 넘나드는데 어찌 안 그럴 수 있을까?

그런데 거기에서 대해의 미쳐 버린 내공을 폭발시키니 육체를 넘어서 영적으로도 후폭풍이 장난이 아니다.

'가다듬고 또 가다듬어도…… 이걸 남한테 전수할 수는 없겠군.'

그야말로 비오의(秘奧儀). 로그인 로그아웃 능력이 없다면 그 누구도 실전에서 쓸 수 없는 기술이다.

"로그아웃."

충분한 휴식을 취하고 돌아온 나를 향해 세릴이 묻는다.

"방금…… 제 [영역]에도 인식이 안 됐어요. 속도가 얼마나 되죠?"

"별거 아닙니다. 빛보다 조금 빠른 정도."

"……아니, 뭐라고요?"

기막혀 하는 그녀를 놔두고 썬더버드를 살핀다. 어마어마한 타격을 입었음에도 녀석은 죽지 않았다.

'역시 아까 죽인 쉠곤과는 경우가 다르군.'

쉠곤은 대군주급 그로테스크와 싸우느라 많은 능력을 소진한 상태였다. 긴급 상황에 발생하는 방어능력도, 특수 능력도 써 버리고 가진 마력과 체력도 태반이 날아갔던 상황.

그러나 썬더버드는 만전의 상태.

살인적인 위력을 담은 내 일격으로도 녀석을 죽이기에는 부족했고, 머리를 때리거나 목을 쳐 치명타를 발생시키지도 못했으니 쉐도우 트와이스도 발생하지 않는다.

그뿐이 아니다.

파직!

순식간에 썬더버드의 거대한 육신이 수십 킬로미터 이상 멀어졌다.

쿠릉쿠릉!

저 멀리 보이는 녀석과 나 사이엔 수십 개의 전기 구체가 떠올라 아크 방전을 일으킨다.

일종의 공뢰(空雷)처럼 돌격을 막는 용도.

[끼루룩!]

쓴맛을 본 썬더버드가 문자 그대로 번개처럼 몸을 내빼고 있다.

조금 전의 타격으로 완전히 쫄아 버렸으니, 놈을 죽이기 위해서는 필사의 추격전은 피할 수 없어 보였다.

삐빅! 삑!

갑자기 들린 전자음에 고개를 돌리니, 세릴이 특이해 보이는 외눈안경을 눈에 장착하고 있다.

"마력이 왕창 줄었어요. 세상에…… 방금 전의 접전으로 저 괴물이 지닌 마나의 70% 이상이 날아갔습니다."

"초월급 몬스터가 겁을 먹고 내빼다니……."

프린스와 세릴이 기막혀 하든 말든 속으로 가늠한다.

'이제 22레벨의 초월급 몬스터 따위 내 적이 아니다.'

일대일이면 상대가 아무리 만전의 상태여도 30분이면 끝낼 수 있다. 압도적인 우세로 상대를 몰아붙이다 살해할 수 있는 것.

승률은 당연히 100%다.

'일대이라면…… 3시간 정도 걸릴까.'

여전히 승률은 100%라고 생각하지만 훨씬 어려워진다. 나보다 급이 떨어져도 초월자는 초월자. 방심하다가는 크게 당할 수 있다.

'그리고 일대삼이라면…… 적어도 12시간은 걸린다.'

다만 초월급 적이 셋이 되면 승률은 이제 100%가 아니다. 여전히 우세하겠지만…… 어쩌면 패배할 수도 있겠지.

'그리고 일대사가 되면…… 이건 시간이 문제가 아냐. 승률이 반반이 된다.'

19레벨과 20레벨의 차이는 인간과 신의 차이.

19레벨의 강자가 수십 명이 덤벼서 초월자에게 압살당한 사례는 너무나 흔하다. 괜히 초월자겠나?

그러나 어차피 같은 초월급이라면, 어느 정도 레벨 차이가 나도 아예 무시할 정도는 아니다.

"용병님! 괴물들이!"

세릴의 비명대로 98지구 곳곳에서 무지막지한 기세가 솟구친다.

썬더버드까지 도합 6마리의 초월급 몬스터! 썬더버드는 너무 큰 타격을 받아 끼지 못하겠지만 그렇다 하더라도 5마리다.

'일단은 탈출이 우선이다.'

푸확!

그때 저 아래에서부터 시커먼 색의 기둥이 솟구쳐 레플리를 노린다. 나는 가볍게 검강을 휘둘러 그것을 쳐 냈다.

"쉠곤 녀석 깜찍한 짓을 하는군."

바닷물이 용오름처럼 꿈틀거리더니 빛살 같은 기세로 하늘로 쏘아진다.

수백 개의 용오름을 휘감고 있는 쉠곤의 위엄은 그야말로 바다의 신!

그뿐이 아니다.

[크아아아앙———!]

밤하늘 저편에서 사기가 풀풀 흐르는 시커먼 날개의 드래곤이 날아온다.

"그러고 보니 너는 말을 하는데 저 녀석은 왜 못하지?"

내 물음에 레플리가 답한다.

[적이니 그냥 말은 안 거는 걸 수도 있지.]

"그런가."

고개를 끄덕이며 다시 고개를 돌린다.

[적이여! 거기 서라!]

어느 게임 출신인지 알 수가 없는 해룡이 고성을 내지른다. 생긴 것만 해룡인지 너무나 자유롭게 하늘을 날아 우리를 추적해 온다.

"공간 이동은?"

"더 가야 합니다! 대기권을 완전히 벗어나서 우주까지는 가야……!"

"귀찮게 하는군."

나는 다시 레플리의 등을 밟고 뛰었다.

그리고 그대로 차원을 밟고.

[천검-관월아(貫月牙)]&[천지를 가르는 검]

대기만성(大器晩成). 극광(克光).

우리 위를 막아서려던 적 레플리를 후려쳤다. 파천극광은 쓰지 않았다. 파천극광을 쓰려면 명상을 30시간이나 해야 하는데 공격을 다 그걸로 하면 아르데니아에서 쓰는 시간이 너무 길어진다.

콰득! 쩡!

레플리의 몸을 휘감고 있던 새까만 실드가 깨져 나간다. 레플리의 안광이 번뜩인다.

파지직!

쩌적!

화악!

벼락의, 물의, 불꽃의 실드가 녀석의 몸을 뒤덮는다.

퍼버벙! 쩡!

어떻게 레플리의 몸을 때릴 수는 있었지만 단지 물리적인 충격을 주고 비늘을 떨궜을 뿐 뼈를 끊어 내지는 못했다.

'적응이 빠르군.'

앞에서 썬더버드가 당하는 모습을 보고 대책을 강구한 모양이다. 초월급 몬스터들이 초월자라는 경지에 안 맞게 무지성 돌격을 일삼아도 전투 지능이 없는 건 아니라는 뜻이다.

그러나 상관없다.

한방으로 안 되면…… 여러 방을 때려 박으면 그만이니까.

"로그인."

아르데니아로 넘어가 휴식하고, 밥을 먹고, 잠을 잔다.

"로그아웃."

[천검-관월아(貫月牙)]&[천지를 가르는 검]

대기만성(大器晩成). 극광(克光).

쩍-!

[크앙!]

날개 뼈에 거대한 칼집을 내 주자 레플리가 고통의 비명을 질렀다. 나는 그대로 녀석의 일그러진 살점 안에 있는 드래곤 하트를 향해 검강을 뿜으려 했지만…… 그보다 녀석의 거체가 사라지는 게 더 빨랐다.

푸확!

삽시간에 수 킬로미터 이상 물러난 레플리의 몸에 수십 수백 개의 실드가 뒤덮인다. 이 짧은 순간 내 공격을 막는 가장 효율적인 방법을 찾아낸 것!

그러나 이제 내 목표는 녀석의 목을 따는 게 아니다.

화악!

전투를 벌이는 와중에도 고도는 끝없이 높아지고 있다. 어느새 대지의 모든 것이 장난감처럼 작아 보인다.

팟!

[도망칠 수 없다!]

[하하하! 버러지 같은 인간 놈들! 어디를 도망가려 하느냐!]

순간 레플리의 주변으로 인간형 괴물과 해룡이 모습을 드러낸다.

'공간 이동!'

나는 즉시 차원을 디뎌 원 자리로 돌아가려고 했다.

그러나 그 순간이었다.

"닿는다! 부탁드립니다!"

프린스가 버럭 소리 지르고.

—귀찮게 하는군…… 왜곡(歪曲)을 주겠다.

순간 강력한 영언이 후려친다고 느껴질 정도로 강하게 주변을 장악한다. 그 영언 너머에서 느껴지는 무지막지한 힘에 절로 눈살이 찌푸려진다.

"이건……."

정신이 아찔해 정도의 힘. 고작 [말]이 전해졌을 뿐인데도 자리에 있는 모든 초월자가 경각심을 느낄 존재.

'와, 이런.'

나는 프린스를 바라보았다.

'아니 진짜…… 왕자인가? 그것도 킹한테 요청할 수 있을 정도의 존재라고?'

킹은 그냥 초월자 정도가 아니다.

우주에도 몇 없는 최상급 신.

그는 연합이 아직까지 그로테스크를 어쩌지 못하게 만드는 초월적인 강자이자 콧바람으로도 항성계를 파멸시킬 수 있는 괴물이다.

'아니 진짜 친아들이라고 치면……. 이 녀석 너무 약한 거 아닌가?'

기막혀 하는 사이 프린스가 어느새 오른손에 들려 있는 검을 휘둘렀다.

쩍.

공간이 요동친다. 단 일격에…… 반경 수백 킬로미터 안쪽의 차원의 끊어지고 뒤틀리고 엇갈려 이어진다.

[이게 무슨!?]

[공간이-!]

해룡과 마계공작(魔界公爵), 흔히 마족공이라 불리는 존재가 사라진다. 죽은 건 당연히 아니고 수천 킬로미터 이상 밀려났다.

턱.

반면 나는 너무나 순조로이 레플리의 등으로 돌아올 수 있었다.

'영성무장(靈星武裝)…….'

방향성은 다르지만 거의 초월병기에 맞먹는 가치를 지닌 물건이다.

초월자가 아닌 존재가 들어도 초월자에 준하는 힘을 가

지게 해 주는 무기.

물리적인 존재가 아닌 영성무장은 언제든 차원과 공간을 뛰어넘어 하사(下賜)하는 게 가능한 무기로 유명하다.

'끝이군.'

고개를 슬쩍 숙이자 저 아래에서 포효를 지르고 있을 뿐인 랜드웜이 보인다. 녀석도 절대 만만치 않은 괴물이지만, 전투가 공중전이 되어 버리니 싸움에 끼지 못한다. 심지어 고도가 높아져 버리자 쉘곤조차 제대로 참견하지 못했다.

차원왜곡으로 밀려난 적들이 허겁지겁 추격하고 있지만 거리가 이렇게 멀어져서야 따라잡는 게 불가능하다.

'하물며 우주로 나가 버리면 끝이다. 레플리면 몰라도…… 우주에서 자유롭게 비행할 수 있는 녀석은 드물 테니까.'

아무리 초월자라고 해도 한계가 있다. 하물며 우리들은 모두 '하급' 초월자에 불과하다.

랜드웜이 땅에서는 온 세상을 뒤흔들 재앙의 사자라 해도 하늘 높이 날아오르면 할 수 있는 게 거의 없듯, 뭐든 다 할 수 있을 듯 보이는 초월자들이라도 환경과 상황의 제약에서 완전히 자유로울 수는 없다.

'그저 남들보다 훨씬 더 다양한 대처가 가능할 뿐이지.'

훙!

그때 레플리의 주변으로 수십 개의 철 덩어리가 스치고

지나간다.

'우주정거장이군…….'

이미 수명을 다 한 지 오래로 보이는 문명의 잔해는 98지구가 나름대로 과학 기술을 발전시켰다는 증거다. 결국 3문명에 도달하지도, 외부의 멸망을 이겨 내지도 못했지만 그럼에도 98지구는 기나긴 역사와 독특한 문명을 꽃피운 곳이었다.

'여기는…… 언젠가 다시 와 봐야겠군.'

왠지 그런 기분이 들었다. 뭐라 설명할 수 없는 어떠한 업이 느껴진다.

[크아앙!]

"엥?"

감상에 젖어 있다 고개를 돌린다. 98지구에서부터 망령룡 레플리가 무시무시한 기세로 우리를 추격하고 있다.

내 레플리는 20레벨. 저 레플리는 22레벨이기 때문에 사실 전력으로 속도를 내면 아무래도 저쪽이 빠를 수밖에 없다.

문제는 따라붙어서 뭘 어떻게 하겠냐는 것이다.

"……그냥 가려고 했는데."

망령룡 레플리는 우주에서 특별히 강해지는 암속성의 초월자지만…… 일대일로는 감히 내 상대가 될 수 없다.

"죽겠다면 별수 없지."

히페리온을 들어 올린다.

툭.

레플리의 등을 박차 녀석의 등 위에 구현되어 있던 결계를 벗어난다.

나를 맞이하는 적막의 세상.

턱.

도약을 위해 차원을 밟는 순간이었다.

투웅-!

느닷없는 차원의 왜곡과 함께.

쿠쾅!

[크아아악!]

우리를 추격하던 레플리의 몸이 수 킬로미터 이상 밀려난다.

"뭐?"

구구구구구구------!

한 발 한 발 무지막지한 파괴력을 담은 폭격이 레플리의 몸을 두들긴다. 레플리가 깜짝 놀라 실드를 만들었지만 소용없었다.

쿠구구구구구---!

콰콰쾅!

레이저가, 얼음으로 만들어진 거대한 탄환이, 양자력 에너지가 우주를 가로질러 레플리의 몸을 무자비하게 폭격한다.

"아니, 이런."

당연한 말이지만 공격을 쏟아 내는 건 어떤 초월자가 아니다.

거대한 우주전함(宇宙戰艦)이지.

[크아앙!]

레플리는 포효하며 마법을 사용하고 어둠의 속성력을 마구 휘둘렀지만, 그럼에도 거대한 규모의 전함 앞에서는 제대로 된 힘을 발휘할 수가 없다.

초월자가 하위 문명에서는 신으로 대접받아도 우주 문명에서는 그러지 못하는 이유가 무엇이던가?

천문학적인 피해를 감수해야 할 뿐……. 3문명쯤 되면 과학 기술로도 어느 정도 초월자를 상대할 수 있기 때문이다.

콰아아---!

레플리가 필사적으로 뿜어낸 어둠의 브레스는 전함의 배리어에 허무하게 막히고 말았다.

초대형 엔진에서 뿜어지는 무지막지한 출력을 바탕으로 하는 전함의 배리어는 초월자라 해도 쉽게 뚫을 수 있는 종류의 방어가 아니다.

콰광!

결국 레플리는 폭격을 버티지 못하고 죽고 말았다.

"아니, 이게 뭔……."

절로 인상이 찡그려진다.

'이놈들은 뭔데 갑자기 나타나서 스틸질이지?'

그러나 함부로 움직이지는 않는다. 아무리 나라도 우주에서 전함을 상대로 덤비는 건 별로 좋지 않은 선택이기 때문이다.

팟!

프린스와 세릴의 옆으로 돌아온다. 어느새 내 레플리 역시 비행을 멈춘 상태다.

프린스가 레플리를 수천 마리는 태울 수 있을 것 같은 길쭉한 형태의 전함을 보며 신음한다.

"이런…… 이 전함은……."

"아는 배야?"

"테라급 전함 크로메틱입니다! 아니 어째서 드래고니안이 여기에?"

"……어디 거에, 이름이 뭐라고?"

되묻는 순간이었다.

[하위종, 한재연.]

어느새 우리 앞에는 누가 봐도 잘생긴 청년 하나가 나타나 있었다.

[장로님께서 부르신다. 떨거지들과 따라와라.]

chapter3.

드래고니안

chapter3.
드래고니안

[하위종, 한재연.]

어느새 우리 앞에는 누가 봐도 잘생긴 청년 하나가 나타나 있었다.

[장로님께서 부르신다. 떨거지들과 따라와라.]

강압적인 어투의 녀석은 여러모로 눈에 띌 수밖에 외모를 가지고 있다.

'화려하군.'

황금색 밀밭을 연상케 하는 금발과 매끄러우면서도 엄청 부드럽고 탄력 있어 보이는 재질의 상하의, 정체를 알 수 없는 짐승의 뼈를 아름답게 깎아낸 팔찌.

열 손가락 모두에 자리하고 있는 각기 다른 색의 보석 반지, 주먹만 한 보석이 달린 목걸이, 귓불이 어떻게 버티나 싶을 정도로 화려함을 뽐내는 귀걸이, 보석으로 풍경화가 그려져 있는 신발까지.

그야말로 머리끝부터 발끝까지 휘황찬란함 그 자체였다.

'이놈 뭐지?'

놈은 초월자다. 당연한 일이다. 돌아가는 흐름상 드래곤일 텐데 드래곤은 다 초월자 아니던가?

문제는 녀석에서 전해지는 기세다.

'나랑 비슷하거나…… 아니면 약한 거 같은데.'

나는 예전엔 가지지 못했던, 기세를 가늠하는 눈으로 그를 보았다.

느껴지는 기색이 기묘하다.

'이길 수가 없다고……?'

이해할 수 없는 현상에 잠시 혼란스러웠지만 빠르게 상황을 파악할 수 있었다.

'템빨이다…….'

녀석은 그냥 스스로를 치장하기 위해 온갖 보석과 옷을 걸친 게 아니다.

녀석이 입고 있는 옷, 차고 있는 팔찌, 반지 등등에서 뭐라 형언할 수 없는 힘이 느껴진다.

"자기소개가 먼저 아닌가?"

내 말에 사내의 눈썹이 꿈틀했지만 이내 고개를 끄덕이고 대답한다.

"그래, 소개가 늦었군. 나는 체르네인 반 알리아르테안 슈레르네 트라인 화 진이다."

"……드워프 같은 이름이군."

정통파 드워프들은 하나같이 이름이 길기로 유명하다. 그들에게는 자신의 조상 중 특별한 업적을 세운 위인을 미들 네임으로 추가하는 문화가 있기 때문이다.

기나긴 전통과 역사를 자랑하는 가문의 드워프는 이름에 들어가는 단어가 수십 개가 넘을 정도라고 한다.

[아…… 그 노예종 말인가? 그래 녀석들에게 그런 문화가 있었지.]

"……?"

멈칫한다. 나는 체르네인 어쩌고 하는 드래곤을 보았다.

[왜 그러지?]

"아니…… 노예종이라는 단어는 좀 차별적이지 않나?"

[하지만 사실이니까.]

녀석의 표정은 태연하다. 나를 조롱하거나 자극하려는 태도가 느껴지지 않았다.

'그러고 보니 이 녀석 나를 하위종이라고 불렀잖아.'

우웅!

황당해하는 사이 전함으로부터 거대한 빛줄기가 비춰진다.

단순한 광원이 아닌, 내부와 이어진 차원 연결.

"타라고?"

[미리 말했지 않나. 장로님께서 부르신다. 정식 초대지.]

나는 슬쩍 뒤를 돌아보았다. 세릴은 상관없다. 여러 가지로 말썽이 많지만 어쨌든 연합 소속인 테케아 연방의 공주가 아니던가?

문제는 프린스다.

'아직 보수를 못 받았는데.'

그런 내 마음을 눈치챈 것일까? 체르네인 어쩌고…… 그러니까 체르네인이 말했다.

[해를 끼칠 생각은 없다. 거기 그 혐오스러운 우주 역병 놈도…… 솔직히 죽이고 싶지만 그럴 수는 없지. 내게 그럴 권한이 있는 것도 아니고.]

녀석의 말에 고개를 끄덕인다.

'하기야 막 죽일 만한 녀석은 아니지.'

하기야 킹의 직계일지 모르는 녀석을 죽이는 건 아무리 드래고니안이라 해도 부담스러운 일이었다. 아무도 모르게 쓱싹한다면 또 모르겠지만…… 녀석은 바로 직전에 킹과 연결되었던 상황이 아닌가?

"초대에 응하지."

내 대답에 체르네인이 가볍게 손을 흔든다.

팟!

그대로 빛이 우리를 뒤덮고.

우웅!

우리 모두는 테라급 전함, 크로매틱(Chromatic)에 들어설 수 있었다.

'……여기까지만 해도 안심이지.'

호랑이 굴을 뛰어넘는 용 굴에 제 발로 기어 들어온 셈이지만, 이 초대가 설사 함정이라도 우주에서 전함과 맨몸으로 싸우는 것보단 낫다. 어쨌든 일단 전함에 타야 승산이 생기기 때문이다.

초월자를 상대하는 3문명 전함의 최우선 과제가 괜히 [침입 방어]인 게 아니다.

"힉…… 드래곤이…… 열 명도 넘어요."

세릴 연구원이 그 커다란 몸을 잔뜩 웅크렸다. 물론 그래 봐야 주변에 있는 누구보다 크다. 레플리는 이미 돌려보낸 상황이기 때문이다.

"설마, 드래고니안의 전함에 타게 될 줄이야……."

프린스도 잔뜩 긴장한 표정으로 주위를 둘러보고 있다.

"안녕하십니까, 주인님."

"안녕하십니까, 주인님."

미리 도열해 있던 아름다운 외모의 엘프들이 공손히 예를 취한다.

드래고니안의 함선이라지만, 실제로 배를 조종하고 관리하는 대부분의 인원은 드래곤이 아니다.

'뭔가…… 전형적인 드래곤이군.'

사실 내가 만나 왔던 드래곤들이 비정상이었다.

드래곤은 오만의 종족.

상냥하고 친절한 F · D나 언제나 깍듯하게 예의를 지키는 어둑서니 쪽이 오히려 드문 케이스라 할 수 있으리라.

저벅. 저벅.

화려하게 치장된 복도를 가로지른다. 마치 전함이 아닌 관광용 함선처럼 화려한 문양과 색색의 보석들이 벽과 천장을 장식하고 간간이 화려한 화풍의 그림들도 걸려 있었다.

눈이 심심하지 않은 화려한 복도를 지나자 드넓은 우주와 함께 성이 보인다.

지금까지 걸어왔던 복도가 막혀 있었던 것과 다르게 성이 자리한 공간은 뻥 뚫려 우주를 볼 수 있었고, 그 덕분에 성이 우주에 떠 있는 것 같은 착각과 장엄함을 느끼게 만든다.

'와, 무슨 보석 성애자인가?'

사방이 보석투성이다. 성을 감싸고 있는 성벽의 타일 하나하나 가공한 보석으로 만들어져 있고, 성문 역시 보석을 통으로 깎아 만들었다.

단순한 사치라고 치부하기도 뭐한 것이 그 모든 보석들에서 가늠조차 어려운 어마어마한 힘들이 느껴진다.

"그나저나…… 날 초대하러 이 먼 우주까지 온 건가?"

"……."

내 말에 체르네인이 발걸음을 멈춘다.

거침없이 걸어가던 녀석이 발걸음을 멈추자 녀석을 따

라 걷고 있던 일행 전부가 멈추게 되었다.

녀석이 말한다.

"마치…… 네가 그만한 가치가 있다고 생각하는 것 같군, 하위종."

싸늘해지는 분위기에 세릴이 조심스럽게 입을 열었다.

"저기, 죄송하지만."

"누가 네가 입 여는 걸 허락했지, 하위종?"

"……."

모두가 침묵에 빠진 상황에서도 체르네인은 나만을 응시한다. 나를 바라보는 시선에서 숨길 수 없는 경멸과 질투가 느껴진다.

"큭!"

웃음이 나온다.

"큭큭큭!"

질투라니? 수천 년을 살아왔을 초월자가 고작 인간 남성에게 보일 감정이 아니다.

별로 좋은 감정이 아닌 걸 알지만…….

이 상황이 재미있어 견딜 수 없다.

"초월의 경지에 올랐다 해서."

내 웃음의 의미를 깨달은 듯 체르네인의 눈이 살벌하게 번뜩인다.

"주제를 모르는구나, 하위종."

웅!

금빛이 번쩍인다. 녀석의 몸에서 파멸적인 기세가 뿜어진다.

"크……!"

"우웃……!"

어느 정도 거리를 두고 서 있던 프린스와 세릴이 주춤주춤 물러선다. 영성무장 왜곡이 그들의 주변에 기운을 뿜어냈음에도 완전히 해소하지 못할 정도.

그러나 그래 봐야 나를 어찌할 수준은 아니다.

"꼴값을 떠는군."

"……뭐?"

인상을 찡그리는 체르네인을 향해 손을 뻗었다. 물론 녀석은 곱게 받아들이지 않았다.

쩌저적!

녀석의 주변으로 금빛 금속이 자라나 내 손을 막아선다. 자라난 속도를 감안하면 거의 쳐 내는 거나 다름없는 반응이었지만.

'막아서면, 내가 막혀야 하나?'

대지의 속성력을 가진 상태에서 만물저항까지 손에 넣은 나에게 금속의 방어벽은 종잇장만도 못한 방어력을 지닌 존재일 뿐이다.

하물며 999스텟의 근력까지 있지 않던가?

콰드득!

단숨에 금속 벽을 부수고 녀석과 어깨동무를 한다.

"……뭣!?"

체르네인의 몸이 파르르 떨린다. 녀석은 강대한 초월자지만…… 물질계 최강급 근력을 가진 나와 지근거리에서 붙게 된 건 너무나 뼈아픈 실수다.

나는 웃었다.

"내 말을 이해 못했나? 꼴값을 떤다고. 수천 살은 되보이는데…… 나이를 똥구멍으로 먹었나?"

왼손을 녀석의 어깨에 걸어 뺨을 툭툭 친다. 마치 고등학교 시절의 일진처럼, 불량배처럼 녀석을 비웃는다.

체르네인의 얼굴이 돌처럼 딱딱해진다.

"너……."

"초대를 했으면 손님 대접을 해라, 머저리. 싸움을 걸고 싶으면 제대로 걸고."

콱!

"윽!"

녀석의 목을 조이자 대번에 안색이 창백해진다.

끼이이익---!

녀석의 목걸이가 빛나며 무지막지한 반탄력이 나를 밀어냈지만 내 육체 능력을 이겨 낼 정도는 아니다.

'이대로 목을 꺾으면, 과연 꺾일까?'

분명 눈앞의 체르네인 녀석은 무시못할 강자다. 솔직히 말하면 나와 거의 대등한 전투력을 가진 존재.

그러나 구도가 너무 좋지 않다.

괴물 그 이상의 신체 능력을 가진 나와 어깨동무를 하고 있다는 건…… 처형대에 목을 내거는 것 이상으로 위험천만한 일이다.

'근접 초월자라 해도 이 구도에서는 큰 손해를 면치 못할 텐데 하물며 대마법사라니.'

이대로 싸움을 시작하면…… 농담이 아니라 진짜 5분 만에 죽일 수도 있다. 만물저항을 가진 내게 붙잡힌 탓에 공간 이동조차 불가능하기 때문이다.

순간의 실수가 너무나 치명적인 구도를 초래한 것.

[그만]

그때 묵직한 목소리가 우리를 말린다. 스스로를 전혀 숨기지 않는 목소리였기에 거기서 느껴지는 힘을 대충 가늠할 수 있다.

'강하다.'

그냥 좀 강한 게 아니라 확연하게 강하다.

'설마 황제 클래스인가? 아냐. 그렇다고 보기엔 또…….'

[첸, 내가 공손하게 대하라고 했을 텐데.]

"하지만 장로님! 이 하위종이……."

[그 하위종이 네 목숨 줄을 잡고 있다. 쯔쯧. 이름뿐이라지만 전룡단에 속한 녀석이 이 한심한 꼬락서니라니…….]

팟!

뭔가 인식하기도 전에 공간이 뒤틀린다.

정신을 차렸을 때 이미 나는 이미 체르네인과 다섯 발짝 떨어져 있는 상태였다.

'아니, 이게 무슨…… 극의지체인 나를 강제로 공간 이동시켰다고?'

황당한 일이다. 내가 당한 게 마법인지 뭔지도 알 수가 없었다.

"……따라와라."

잔뜩 침울해진 표정의 체르네인이 우리를 안내한다. 화려한 성문을 지나 본관으로 들어서자 체르네인이 입도 뻥긋 못하고 내 뒤를 따르던 프린스와 세릴에게 말했다.

"여기서부터는 저 녀석 혼자다."

그의 말에 세릴이 조심스럽게 손을 든다. 거대한 티라노사우루스가 자기보다 훨씬 작은 사내를 보고 굽실거리는 모습은 우스꽝스럽기까지 하다.

"여기서부터가 아니라, 저희는 그냥 함선에서 내보내 주시기만 하셔도……."

"어차피 가는 길에 우로보로스에 들릴 예정이다. 적당히 방에서 쉬고 있어라."

"아, 네……."

바로 찌그러져 끌려간다. 나는 멀어지는 녀석들을 잠시 바라보다 복도를 따라 걸었다.

목적지에 도착하기까지는 그리 긴 시간이 필요치 않았다.

"왕좌 앞에 무릎이라도 꿇어야 할 줄 알았는데."

"아쉽지만 그 자리는 현재 공석이네."

차분한 복장의 노파가 나를 반긴다. 당연히 [왕]이나 [여왕] 복장일 거라는 내 예상과 달리 그녀가 입고 있는 것은 일종의 유니폼.

굳이 말하자면 시녀에 가까운 디자인이다.

"이렇게 급작스럽게 부르게 돼 미안하게 생각하네."

그녀는 부드럽게 웃으며 나를 작은 방으로 안내했다. 미리 준비하고 있었던 듯 자리에는 맛있어 보이는 과자와 차가 준비되어 있다.

"만나서 반갑네. 시녀장이라고 부르게."

'아니, 진짜 시녀라고?'

어이가 없어 절로 입이 벌어진다. 체르네인은 그녀를 '장로'라고 불렀다. 죽기 직전까지 자라는 용종의 특성을 생각하면 장로쯤 되는 그녀의 힘과 위치는 설명할 필요조차 없을 정도인데 겨우 시녀장이라니?

나는 주춤하면서도 일단 테이블 앞에 앉아 말했다.

"한재연이라고 합니다. 저도 반갑습니다만…… 말씀대

로 급작스럽게 끌려 온 상황이라 일단 용건부터 알 수 있을까요?"

내 말에 시녀장이 고개를 끄덕인다.

"맞는 말이군. 그렇다면 받게."

그러고는 내게 봉투 하나를 꺼내 테이블 위에서 죽 내 쪽으로 밀었다.

"……?"

멈칫한다.

'아니, 잠깐 이 구도 어디서 본 것 같은데? 심지어 현실도 아니고 드라마나 영화에서…….'

당혹스러워 하는 내게 시녀장이 말했다.

"섭섭지 않게 넣었네."

"……?"

잠시 뇌 정지가 왔다. 그야말로 예상치 못한 전개였기 때문이다.

'아니, 진짜 이거라고?'

이곳까지 오면서 10명도 넘는 드래곤이 둘러싸 '죄인을 고개를 들라!'할 거라 생각했지 곱게 늙은 노부인이 봉투를 넘겨줄 줄은 몰랐다.

간신히 정신을 차리고 물었다.

"왜 저에게 섭섭지 않은 보상을 주십니까?"

"……."

내 물음에 시녀장이 아무 말 없이 나를 가만히 들여다

보았다. 온화한 인상의 그녀의 눈동자가 뭐라 형언할 수 없이 깊게 빛난다.

"시녀장님?"

"그래…… 적어도 악의나 속셈은 없군."

그녀는 그렇게 말하고 또 한참을 가만히 있었다. 내 얼굴을 뜯어먹기라도 할 듯 응시하다 차분히 말한다.

"지금부터 하는 모든 말은 어디에도 흘러 나가서는 안 되는 기밀이네."

나는 필사적으로 차분함을 연기했다.

너무나 위험한 상황이다.

'아니, 설마 말해 주려는 건가? F · D의 정체를?'

우주적인 대스타, 파이브 드래곤의 정체는 대우주 모든 색채룡의 원형이라고까지 불리는 초고대 원시룡(元始龍), 크로매틱 드래곤.

'아르데니아'라는 고유한 시간선 덕분에 시간 정지에 면역이었던 난 우연한 기회에 그 사실을 알게 되었다.

'너무 위험한 비밀이지.'

크로매틱 드래곤은 상급신에 한없이 가깝다는 황제 클래스이자 용족의 최고 연장자다.

이것이 무엇을 뜻하는가?

'우주 최강급의 존재라는 뜻이지.'

대우주에 위명이 쟁쟁한 최상급 신들은 다들 그 자리에 걸맞은 의무와 제약을 지고 있다.

의무가 거의 없기로 유명한 게임 마스터와 그로테스크의 왕 [킹]조차도 물질계에 얼굴을 내비칠 일이 거의 없을 정도로 바쁜 이유가 그 때문이라는 게 학계의 정론 아니던가? 실제로 내가 잠깐 만났을 때에도 그는 시간에 쫓기듯 굴었다.

중급 초월자가 그저 [중급 신]이라고 불리는 대신 [황제 클래스]라 불리는 건 괜한 이유가 아니다.

최상급 신은 함부로 움직이지 않고 활동하는 상급 신은 최상급신보다도 드문 대우주.

중급 초월자쯤 되면 세력이 있건 없건 출생이 어쨌건 이 대우주에서 황제나 다름없는 존재였다.

"혹시…… 안 듣는 게 가능할까요?"

공손히 손을 들고 물어보았지만, 시녀장은 엄숙한 표정으로 고개를 흔들었다.

"아니, 자네는 들어야 하네. 그리고…… 나는 어쩌면 자네가 그 기밀을 알고 있을지도 모른다고 짐작하고 있네."

'……시발?'

손발이 떨리는 듯하다. 아니 어떻게 그런 짐작을 한단 말인가? F · D 본인들도 모르는 사실인데?

"아니, 잠시만요."

"귀엽고 깜찍한 실력파 아이돌, 파이브 드래곤은 사실……."

"잠시만……!"

"이 세상 모든 색채룡의 원형, 위대하고 위대하신 크로매틱 드래곤 [칸] 폐하의 자식일세."

"……."

잠깐 아무런 리액션을 못했다. 다행스럽게도 시녀장은 그런 내 모습을 뜻밖의 비밀에 의한 경악으로 이해한 듯하다.

"놀란 모양이군. F · D가 말하지 않은 건가."

"아…… 네. 그냥 특별한 혈통을 타고 났다고만 알려 주었지요."

차분히 대답하며 생각한다.

'설마 시녀장도 모르는 건가? 아니면 그냥 여기까지만 노출하는 걸 수도 있지.'

하기야 갓 성룡으로 알려진 F · D가 아이돌 활동을 하는 것조차 우주가 들썩일 정도의 대사건이었다.

'말하자면 일국의 대통령, 재벌 회장, 역사적인 위인이 아이돌을 하는 셈이지.'

강대한 초월자, 권력자, 1인 재벌 이미지를 가진 존재가 바로 드래곤.

그런데 그 아이돌이 갓 성인이 된 어린 드래곤도 아니고 수십만 년을 산 전설적인 존재라는 걸 누구에게 알릴 수는 없을 것이다.

"이미 알겠지만."

생각을 정리하는 내게 시녀장이 말했다.

"아직 어린아이들이네. 고작 100년 남짓 사는 인간 입장에서는 어떨지 몰라도 우리 입장에서 그녀들은 아직 완전히 자라지 않은 미성년자야."

그녀의 표정이 엄숙하다.

"복잡하게 말하지 않겠네. 그녀들과 헤어져 주게."

그렇게 말하며 늘씬한 손가락을 들어 테이블 위의 봉투를 내 앞까지 민다.

슥.

그러나 나는 그 봉투를 잡아 그녀에게 돌려주었다.

"……무슨 뜻이지?"

"부족하다. 날 뭐로 보느냐. 뭐 그런 의미가 아닙니다. 다만 제가 그녀들과 헤어지는 건 불가능해요."

"호…… 그렇게 사랑한다? 미성년자인 그녀들을?"

차분한 인상의 노부인이던 시녀장의 표정에 서리가 내린다.

나는 손을 흔들었다.

"그런 의미가 아닙니다. 다만…… 생각하시는 것만큼 우리는 깊은 관계가 아니에요. 사귀지를 않는데 어떻게 헤어집니까?"

나와 오룡이들은 매우 가까운 사이이다. 몹시 아름답고 친절한, 나를 위해서라면 노력과 손해를 신경 쓰지 않는 여인들.

그러나 그렇다 해도 그걸 연인이라기에는 부족하다.

'무엇보다 다섯인 게 문제야.'

그녀들은 같은 존재에게서 분화된 존재라고는 믿을 수 없을 정도로 다양한 개성과 자아를 지닌 존재.

'만약 내가 그녀들 중 하나를 택한다면?'

당연히 지금의 관계는 파탄을 맞이할 것이다.

'그렇다고 다섯 모두를 동시에 받아들이겠다고 선포한다?'

그야말로 말이 안 되는 개소리.

초월자인 내가 자살하는 가장 빠른 방법일 것이다.

"아…… 그렇다, 이거군."

시녀장은 차분한 태도로 웃었다. 그러고는 슬쩍 내 앞에 있는 봉투를 가리켰다.

"일단 확인이라도 해 보지."

"아뇨. 대가가 부족하다는 게 아니라."

그렇게 말하면서도 무심코 봉투를 본다.

어느새 봉투가 사라지고, 테이블 위에는 한 장의 수표만이 자리하고 있다.

거기에는 이렇게 쓰여 있었다.

[1,500,000,000 **게릴트**]

정체를 짐작할 수 없는 수표의 재질과, 그 자체로 [힘]

을 품고 있는 필체, 단아하면서도 화려한 디자인 따위는 내 눈에 들어오지 않는다.

오직 숫자만이.

내 시야를 가득 채운다.

'15억 게럴트.'

계산은 순식간이다.

'4조 5천억 원…….'

그것은 상상을 초월하는 단위의 돈이다.

보통 사람은커녕 재벌이라도 감히 손에 넣을 수 없는 규모의 돈.

조(兆).

국가 예산이나 기업의 시가 총액 같은 거에서나 튀어나오는 단위다. 아이언 하트가 없는 일반 버전이겠지만 적어도 대형급 우주선을 살 수 있고, 기가스를 사자면 인급 기가스까지 살 수 있는 돈.

땅을 사자고 들면 행성도 구매할 수 있고 다른 문명으로 간다면 홀로 수천 수억의 사람을 고용해 나라를 세울 수 있는 그런 돈.

지금 내 앞에 있는 얇은 종이 한 장에 그 역사(歷史)와도 같은 돈이 있었다.

'사귀지는 않지만…….'

나는 잠시 수표를 바라보았다.

'사귀지는 않지만 헤어져 보겠습니다…….'

홀린 듯 그런 말을 내뱉을 뻔했을 정도로 충격적인 금액이다.

"……와."

억눌린 신음이 흘러나온다.

"드래곤들이 부자인 건 알고 있지만…… 이건 좀 지나치지 않을까요?"

그로테스크의 왕자 프린스의 경우야 적어도 왕족의 생명이 걸린 일이었다 치자.

그러나…… 고작 누구랑 헤어지라는 부탁에 조 단위를 태워?

"우리는 노블레스에서도 가장 부유한 세력이니까. 세월은 돈이고, 우리는 그걸 가장 잘 아는 단체지."

느긋한 목소리를 들으며 생각을 정리한다.

손만 뻗으면 들고 나갈 수 있는 테이블 위의 4조 5천억과 34지구에서 다음 앨범을 준비 중인 오룡이들을 떠올렸다.

그리고 말했다.

"죄송합니다."

가슴이 찢어지지만 이럴 수밖에 없다. 그녀들과 더 깊은 관계를 맺지 마라 정도면 얼마든지 따라줄 수 있지만 무려 4조 5천억을 태우면서 하는 부탁이 그렇게 말랑말랑할 리는 없기 때문이다.

'아마도 그녀가 바라는 건…… 내가 오룡이들에게 상처

를 줘서 멀어지는 방식일 것이다.'

예를 들어 다른 여자랑 사귄다거나, 그녀들에게 심한 짓을 한다거나.

그러나 그딴 짓을 했다간 목숨이 위험하다.

오룡이가 바로 전설의 원시룡, 크로매틱 드래곤이 아니던가?

지금 내 앞의 존재가 나보다 강하고, 거기에 엄청난 위세를 자랑한다 해도……. 그래 봐야 그녀는 크로매틱 드래곤의 아랫사람에 불과하다.

'게다가 그게 아니더라도 그러기가 싫다.'

나에게 언제나 친절하며 응원하는 그녀들에게 그런 행동을 할 수는 없다.

4조 5천억이…… 물론 매우 아깝기는 하지만…….

'벌 수 있어.'

그래. 편의점 알바를 하던 과거의 내가 아니다.

지금의 나라면 몇 년 죽어라 일하는 것으로 어떻게든 조 단위에 도달할 수 있으리라.

"……그게 네 대답인가?"

"네, 그게 제 대답입니다."

"……."

가만히 나를 바라본다. 단지 그것만으로도, 온몸의 털이 삐쭉 솟는다.

쿠구궁……!

체르네인의 기세와는 차원이 다른 압박감이 전신을 짓누른다.

퍽!

순간 내 머리가 허공으로 날아가는 환상을 보았다. 내가 평소 전투 예지를 자주 봐 오지 않았다면 크게 동요했을 정도로 선명한 환상.

푸욱!

이번에는 기나긴 얼음창으로 내 심장이 꿰뚫리는 모습을 보았다.

'이 정도의 살기라니……!'

아주 강력한 의념(疑念)이다.

나를 이렇게 죽이겠다고 상상하고, 그것이 당연히 가능한 일이라는 확신이 있을 때에나 가능한 일.

그러나 그것은 실제의 미래가 아니다.

그 증거로 [전투 예지]는 잠잠하기만 하다.

쩍!

쿵!

콰직!

앉은 자리에서 다섯 번도 더 죽었다. 그것은 모두 환상이었지만, 내 앞의 노인이 마음만 먹는다면 언제든지 현실이 될 수 있다.

나와 그녀의 차이는 일정한 선을 넘어서, 로그인&로그아웃 능력으로도 충당할 수 있는 수준이 아니다.

'만약 이 자리에 다른 초월자가 있었다면?'

그렇다면 그는 난동을 피웠을 것이다. 나를 공격하는 게 살기인지 진짜 공격인지 구분할 수 없기 때문이다.

그러나 나는 다르다.

실제로 공격이 날아오고, 그래서 [전투 예지]가 작동해야 피하는 게 내 오래된 전투 방식.

그리고 무엇보다.

'노블레스가 귀족이라 불릴 정도로 제멋대로라 해도…… 날 죽일 수는 없어.'

그로테스크의 프린스를 왜 죽이지 못하는가? 그를 죽여서 얻는 이득이 최상급 신인 우주 괴수들의 왕 [킹]의 진노를 사는 것보다 적기 때문이다.

나도 마찬가지다.

'나는 게임마스터의 사도다.'

게임마스터는 노블레스와 엘로힘의 수뇌부가 직접 나서 [연합]에 가입시켰을 정도의 거물.

아무리 드래곤이라 해도 고작 연애 문제로 날 죽인다는 건 있을 수 없는 일이다.

나를 겁박하고, 또 협박할 수는 있겠지만…… 결국 거기까지가 한계.

뚝.

결국 그녀는 살기를 뿌리는 것을 멈췄다. 내가 스무 번쯤 죽었을 때였다.

"정말 담대하군. 이토록 어린데 삶과 죽음에 초연할 수 있다니……. 하기야 보통 존재라면 벌써 이만한 경지에 오른다는 것 자체가 말이 안 되는 이야기지만."

시녀장은 작게 한탄하더니 자리에서 일어난다.

어느새 수표는 사라지고 없다.

'아, 내 수표…….'

안타까웠지만 무시하고 나 역시 자리에서 일어난다.

시녀장이 말했다.

"……녀석들을 부탁하네."

팟!

그 말을 마지막으로 성 밖으로 쫓겨났다.

'……아니, 날 대체 어떻게 공간 이동시키는 거지? 만물저항은 왜 작동도 안 해?'

어이없어 할 때였다.

"나왔군."

으르렁거리는 목소리에 돌아보니 성문 앞에 서 있는 체르네인의 모습이 보인다.

우우----

"아, 이건 또 무슨……."

체르네인에게서 느껴지는 기세는 아까 전의 그것과 전혀 다르다.

[초월]의 직감이 먼저 깨닫고 마는 절망감.

'절대로…… 이길 수 없다고?'

조금 전의 시녀장을 볼 때와 비슷한 느낌이다. 무슨 짓을 해도, 심지어 로그인&로그아웃 능력을 활용해도 이길 수 없을 것 같다는 감각.

나는 이내 그 불안감의 원천을 깨달을 수 있었다.

우웅…….

체르네인의 손에 기다란 지팡이가 들려 있다.

'고작 지팡이 하나로…… 이렇게나 달라진다고?'

아까도 온갖 무장을 다 하고 있었다는 걸 생각하면 저 장비가 그 어떤 장비와도 차원이 다른 수준이라는 것을 뜻.

즉.

'초월병기(超越兵器).'

저 드래곤 놈이 사기 무기를 들고 왔다는 이야기다.

"우리 이야기는 끝난 거 아니었나?"

"후후. 하하하! 그래. 그 건방진 모습 아주 좋다. 하위종. 그렇게 기세가 좋아야 벌레처럼 바닥을 기는 모습을 봤을 때의 쾌감도 더욱 크겠지……!"

우우우――――!

뿜어지는 기운에 즉시 전투 태세로 들어간다.

'치사하게 혼자 사기 무기를 들고 와!?'

……라는 건 실전에서 그저 어리광에 불과하다. 나는 뭐 맨 몸으로만 싸워 왔던가?

"그래."

자세를 낮춘다.

"초월병기도 한 번 상대해 보고 싶었다."

우우우!

투기를 일으키자 대해가 미친 듯 격랑을 일으킨다. 나는 온몸에 강기를 두르고 차원을 밟았다.

[그만.]

그러나 묵직한 목소리가 우리를 막는다.

"……장로님? 어째서!?"

[이 어리석은 것아…… 용족 망신 다 시키지 말고 보내 드려. 설욕하고 싶거든 나중에 따로 찾아가든 하고.]

"아니, 하지만 처음하고 이야기가……."

[……첸.]

낮아지는 목소리에 체르네인의 얼굴이 창백해진다.

팟!

지팡이가 사라지고 녀석이 옆으로 비킨다.

"보낼게요! 보내겠습니다!"

[잘 보내 드려. 쓸데없는 짓 하면 장비를 다 회수하겠다.]

"아니, 장로님……."

체르네인이 징징대거나 말거나 목소리가 끊긴다.

주위에서 눈치를 보고 있던 프린스가 다가온다.

"용병님."

"아직 있었군."

"대금을 치러야 하니까요."

그렇게 말하더니 녀석이 들고 있던 영성무장, 왜곡을 들어 올렸다.

그리고 그 중간쯤을 손가락으로 툭 치자.

땅!

맑은 소리와 함께 왜곡의 검날이 끊어져 내 손 위에 떨어진다.

"……이건?"

"왜곡을 이루던 게럴트 중 일부를 분리했습니다. 정확히 1억 3천만 게럴트입니다."

"아. 그래."

영성무장을 무슨 체크카드처럼 쓰는 모습에 어이가 없었지만 순순히 고개를 끄덕였다.

문득 프린스가 말한다.

"어떻게…… 그렇게 강해질 수 있었습니까?"

마치 불가해한 뭔가를 보는 녀석의 표정에 피식 웃는다.

"열심히 일해서."

손을 흔들며 몸을 돌린다.

"돈 벌어."

임무는 그걸로 끝이었다.

* * *

"아니, 장로님! 대체 왜 그냥 보내신 겁니까? 분명히 손봐 줄 거라고 하셨잖아요!"

체르네인의 외침에도 시녀장은 대답하지 않은 채 침묵을 지켰다.

사실, 그녀도 좀 혼란에 빠져 있다.

"그러게. 왜 그냥 보냈을까."

"네!?"

시녀장은 차를 마시며 가만히 재연과 만났을 때의 상황을 되짚어 보았다.

당연히, 그냥 보내 줄 생각이 없었다.

그는 우주에서도 드높은 크로매틱 드래곤의 이름에 감히 먹칠을 한 버러지였다. 그녀는 [황제]의 보좌로서 그를 처리해야 할 충분한 동기가 있었다.

최상급 신. 게임 마스터의 사도이니 죽일 수는 없지만……. 승낙하면 승낙하는 대로, 거절하면 거절하는 대로 감히 용족을 우습게 볼 수 없도록 혼쭐내 줄 생각이었는데.

그런데 그러지 못했다.

'왜지?'

그를 보는 순간 이유 없는 호의가 마음속 깊은 곳에서 생겨났다. 용들이 좋아 죽는다는 드래곤 러버와는 달랐다.

그녀는 드래곤 러버를 만나 긴 시간 동거까지 해 본 경험이 있었기에 절대 헷갈릴 리 없다.

'그렇게 노력했어도 200년을 못 살고 죽어 버렸지만.'

잠시 과거의 연인을 회상하던 그녀는 다시 재연의 모습을 떠올렸다.

그는 분명 드래곤 러버가 아니었다.

그를 보고 느낀 감정은 오히려…….

"……후후. 나도 참 미친 생각을."

"장로님? 장로님!"

"첸, 정신 사납게 하지 말고 가라."

"하지만……."

"내 말 못 들었나?"

시녀장의 눈이 번뜩인다. 체르네인이 움찔하며 물러난다.

"네, 네. 장로님."

"쯧쯧. 5천 살도 넘는 놈이."

시녀장은 체르네인을 돌려보낸 후 생각을 정리했다.

'그래. 말이 안 되는 일이다. 내가 폐경(閉經)을 한 지가 언제인데.'

일반적으로 드래곤은 1만 년 남짓한 삶을 살고 죽게 된다. 그 이상의 삶을 산다면 그것은 개인적인 능력이나 기연, 혹은 외부적인 시술이 있었다는 뜻.

그녀는 탁월한 재능과 깨달음으로 2만 년에 가까운 삶을 살고 있지만…… 결국 중급 초월의 벽을 넘지 못해 삶의 막바지를 맞이하고 있다.

자식을 낳을 수 있는 몸 상태였던 건 3천 년도 전.

"비범하긴 비범한 놈이었어. 그래서 호의가 생긴 거겠지. 우리가 그런 스타일의 하위종에게 끌리는 건 통계적인 사실이기도 하고."

그녀는 그렇게 이해하고 넘어가기로 했다.

왜냐하면 있을 수 없는 일이기 때문이다.

한낱 인간 따위를.

남성(男性)으로 보고 호의를 품었다는 것은.

* * *

★☆4000다이아 상자☆★를 10개 구매하셨습니다!

★☆4000다이아 상자☆★를 10개 구매하셨습니다!

★☆4000다이아 상자☆★를 10개 구매하셨습니다!

"아, 몇 개를 사야 하는 거야. 10억 다이아 상자 만들어 달라고 할 때 100만 다이아 상자도 추가할 걸……."

투덜거리며 다이아를 구매한다. 일간 패키지, 주간 패키지, 월간 패키지, 이벤트 패키지는 물론 장비 패키지, 스킬 패키지, 캐릭터, 펫, 수호령 패키지까지 이미 모두 구매한 상태기에 살 수 있는 건 다이아 패키지뿐이다.

아무리 그래도 골드 패키지를 살 수는 없는 일이니까.

"어디 보자. 9천 800만…… 좋아. 1억이다."

그리고 그렇게 과금량이 1억을 넘기면.

-황실에 충성하고 제국의 방패로서 목숨을 바쳐라!-

[임페리얼 나이트(영웅)]

"와, 꽝이네."

1억을 들여 영웅급 카드를 하나 뽑았다.

보통 사람이라면 미쳐 날뛸 만한 구도.

그러나 나는 그러지 않았다. 뽑기가 한두 번도 아니고 꽝 따위 이미 무수히 많이 뽑아 왔다.

"다시 1억……."

천장을 쌓는다. 리벤지의 다이아를 아르데니아로 가져가면 과금력이 소모되지만, 아직도 아르데니아에서 다이아를 쓸 일이 너무 많다.

수천억이면 나 한 명 과금하기에 부족함이 없다 못해 넘쳐 나는 수준이지만.

인류제국 전체를 위해 과금하자면 그리 많지도 않은 돈이다.

[모두 칭송하십시오. 9번째 신화가 그 격을 새로이 했습니다.]

[그의 이름은 킬리언스.]

[지금 이 시간부로 24시간 동안 모든 사냥터에 경험치

100퍼센트 버프가 주어집니다.]

[다시 한번 안내 드립니다. 9번째 신화가 그 격을 새로이 했습니다.]

리벤지에 패치가 있었다. 한 계정에서 신화를 계속 뽑으면 그걸 추가적인 신화의 탄생으로 인식하지 않고 신화의 [격]이 올라간다는 문구로 변경한 것이다.

'하긴 패치할 수밖에 없겠지.'

신화가 자꾸자꾸 탄생해 무슨 31번째 신화 33번째 신화 이러고 있으니 어찌 그걸 그냥 둘 수 없다. 신화가 흔해 빠져 보이기 때문이며, 공지만 봐서는 신화급 유저가 몇 명인지 가늠이 안 되기 때문이다.

하기야 그들이라고 리벤지를 만들면서 이런 상황을 예상했겠는가?

화점 소유자건 뭐건 단 1개만 가져야 하는 신화 클래스를 몽땅 돈으로 뽑아 버리는 미친놈이 나올 거라고는…….

↳일세대붉은곰 : 아니 대체 왜…… 대체 왜 계속 뽑는 거야. 중복이잖아…….

↳군필마도사 : 차크라 수련이래.

↳쌔끈한암말 : 무슨 차크라 수련을 이렇게 돈지랄로 하냐…… 이렇게 쓸 거면 나 1억만 주지.

↳후히히힝푸릉 : 한재연 님 요새 용병한다더니 많이 벌긴 하나 봐요. 그 와중에 TV에도 꼬박꼬박 나오고. 영화도 촬영한다던데.

↳간식먹어개포동 : 그리고 그렇게 많이 번 돈을 과금으로…… 윽! 머리가…….

유저들도 이제 이런 내 과금에 익숙해졌다.

처음에야 다들 경악했지만 아무리 놀랍고 이해되지 않는 현상이라도 반복되면 일상이니까.

'내가 폭풍 과금으로 일반 유저들을 쓸어 버리면 이야기가 또 다르겠지만.'

그러나 그렇지 않다. 나는 리벤지 과금액 1등이라는 미친 타이틀을 달고 있는 주제에 화점 하나 가지고 있지 않을 정도로 얌전한 플레이어였다.

[모두 칭송하십시오. 9번째 신화가 그 격을 새로이 했습니다.]

[그의 이름은 킬리언스.]

[지금 이 시간부로 24시간 동안 모든 사냥터에 경험치 200퍼센트 버프가 주어집니다.]

[다시 한번 안내 드립니다. 9번째 신화가 그 격을 새로이 했습니다.]

뽑는다. 계속 뽑는다.

[지금 이 시간부로 24시간 동안 모든 사냥터에 경험치 300퍼센트 버프가 주어집니다.]

[지금 이 시간부로 24시간 동안 모든 사냥터에 경험치 400퍼센트 버프가 주어집니다.]

…….

[지금 이 시간부로 24시간 동안 모든 사냥터에 경험치 800퍼센트 버프가 주어집니다.]

[지금 이 시간부로 24시간 동안 모든 사냥터에 경험치 900퍼센트 버프가 주어집니다.]

↳일세대붉은곰 : 요즘 이 경험치 버프 없으면 사냥 할 맛이 안 나…….

↳군필마도사 : 현실 감각 어디 가나……

사람들이 떠들거나 말거나 뽑기를 마친다.

신화 카드는 다 천장을 이용해 뽑는다. 금액적으로도 과금력적으로도 이게 가장 효율이 좋기 때문이다.

"아…… 심지어 확률이 꽤 좋네."

1억 천장의 신화 확률은 1%인데 거의 7% 확률로 나오고 있으며, 그 결과…… 신화급 플레이어 15명을 만들 수 있게 되었다.

"그러고 보면…… 이제 이걸 누굴 줘야 하나."

사실 이렇게까지 할 생각은 없었다.

단지, 어쩔 수 없었을 따름이다.

"어디 보자…… 슬슬 됐나?"

나는 체다를 두들겨 통화를 연결했다.

[……네. 국세청 상급 사제 청아입니다.]

"안녕하세요. 죄송하지만 제 세금이 얼마나 남았는지 확인할 수 있을까요?"

[모두…… 완료…… 되었습니다.]

"감사합니다."

통화를 끝내고 고개를 끄덕인다.

"올해 세금도 해결!"

심지어 이번에는 세금을 내고도 돈이 꽤 남았다. 용병업을 혼자 뛰기 시작하자 수익이 크게 늘기도 했고, 그로테스크 프린스에게 받은 부수입도 크다.

그뿐이 아니다.

"영상도 꽤 짭짤하게 팔렸고……."

나태석 PD에게 판매하려고 했던 탈출 영상은, 뜻밖에도 영화감독인 앨런이 사 갔다.

그는 내가 초월자들과 싸우며 행성을 탈출, 테라급 함선 크로매틱을 확인하고는 반색했다.

문득 그와 나눴던 대화가 떠올랐다.

"초월급 몬스터들의 방해를 뚫고 탈출해서 테라급 전함과 마주하다니! 구도가 아주 좋은데? 스토리텔링을 해치지 않는 선에서 추가할 수 있겠어!"

"저기…… 실제 영상을 영화 장면으로 쓰는데 너무 재미가 들리신 거 아닙니까?"

"영상만 잘 뽑히면 그만이지."

"게다가 저 공룡이랑 나머지 녀석은 초상권이……."

"상관없어! 없는 걸 만드는 건 불가능해도 있는 걸 지우는 건 편집으로 가능하다네. 거기에 따로 연기한 배우들 영상을 CG로 입히면 돼."

"크로매틱은 어떻게 쓰려고요? 사람은 아니니 초상권은 없겠지만…… 드래고니안의 재산인데 영화에 나오게 해도 돼요?"

"CG를 입히면 돼! 크……! 영상으로도 영압(靈壓)이 전해지는군. 여기에 새빨간 원톤에 보라색 포인트를 넣으면 기세는 그대로 유지하면서 완전히 다른 전함처럼 보이게 할 수 있지."

"……나도 모르겠다. 돈 받았으면 된 거지."

어차피 내가 프린스와 협상하는 장면은 차원의 틈에 들어오지 못해서, 함선 안에서의 일은 크로매틱 내부에 걸린 보안 주문으로 촬영하지 못했으니 문제 될 영상은 없을 것이다.

혹여 드래고니안에서 고소하면 앨런 감독이 알아서 하겠지.

"주식이나 사자."

나는 주식 앱을 켰다.

네메시스 - 14,888,120원(+122,310원)↑

"아……."

절로 한탄이 나온다.

"왜 이렇게 올랐어……."

몬스터 사태로 전체적인 하락세를 취하고 있는 주식판에서 네메시스 소프트의 주가만이 미친 듯 상승하고 있다.

그것이 원래 가치를 찾아가고 있는 것이기에 가능한 일이라 사실을 알고 있지만…… 주식을 사야 하는 입장에서는 가슴이 찢어진다.

물론 일방적인 손해는 아니다.

[스파이크 증권 계좌 총 자산]

701,224,766,080(+42.8%).

"돈이…… 복사가 되는군."

증권 계좌에 든 돈이 7천억이 되었다. 수백억의 손실은 이미 사라진 지 오래고 오히려 수천억이 더해진 것! 심지어 세금을 다 냈음에도(그저 과금을 했을 뿐이지만 어쨌든) 그렇다.

'하기야. 네메시스 주식을 0.2퍼나 들고 있는데 이렇게 폭등을 했으니……."

0.2%.

언뜻 하찮아 보이는 수치다.

클래스 카드를 깠을 때 희귀 카드가 나올 확률보다도 현저히 낮은 숫자.

그러나 이것이 한 기업의 총 주식의 0.2%라고 한다면, 그것은 절대 하찮은 수치가 아니다.

지금의 나를 개미라 친다면, 그야말로 슈퍼 개미라 할 수 있을 테니까.

'하지만 나는 돈 벌려고 주식을 사는 게 아니지.'

그래. 나는 돈 벌려고 주식을 하는 게 아니다. 내 목표는 주식으로 볼 이득이 아닌 주식 그 자체!

당연하지만 가장 큰 목표는…… 언젠가 리벤지에 추가될 황제 클래스다.

'그뿐이 아니지.'

황제급 펫, 황제급 수호령도 생겨날 것이다.

그리고 그렇게 된다면…… 그걸 내게 [업데이트]시키기 위해 흥행력이 과연 얼마나 필요할까?

'짐작도 안 가지만…… 주식 0.2%로는 절대 안 된다는 것만은 확실하다.'

물론 황제 클래스를 얻는다고 내가 중급 초월자가 되는

것은 아니다. 신화급 직업을 얻었다고 내가 초월자는 아니었지 않은가?

다만 분명한 것은.

황제 클래스건 펫이건 수호령이던…… 하나라도 얻는 순간 내 전력은 미친 듯이 상승할 것이라는 사실이다.

자유 저축 예탁금(G-뱅크 1173-5511)

7,274,200원.

은행 잔고가 바닥이 날 때 까지 주식을 샀다. 주식 하나의 가격이 너무 비싸서 주식을 사고 남은 잔액이 7백만 원이 넘는 상황.

혀를 차며 일정을 진행한다.

리벤지 자동 사냥을 돌리고 웹소설 필사, 예능 출현, 영화 촬영, 운동, CF 촬영.

그렇게 모든 일정을 마무리한 후 오룡이들과 모여 식사를 했다.

그리고.

"뭐!? 돈을 주면서 헤어지라고 했다고!?"

바로 일렀다.

chapter4.

화점 공략

chapter4.
화점 공략

"뭐!? 돈을 주면서 헤어지라고 했다고!?"

바로 일렀다. 물론 일렀단 사실을 알게 되면 시녀장이 분노하겠지만.

'뭐 어쩌라고?'

그녀가 강하고 또 노블레스에서 높은 위치를 가지고 있다 하더라도 그것이 크로매틱 드래곤보다 높을 리는 없다.

괜한 오해를 만들고 싶지 않기 위해서라도 이 일은 무조건 오룡이들이 알고 있어야겠지.

물론 완전히 적이 돼서 싸울 필요는 없었기에 적당히 뒷수습도 했다.

"뭐 그래도 나쁘지 않게 끝났어. 마지막에는 너희를 잘 부탁한다고 하시더라."

"아니, 아무리 그래도 그렇지!"

"호오…… 그렇게 됐단 말이지."

"별일이다. 진짜."

"아무 걱정하지 마. 알았지? 우리가 다 알아서 할게."

오룡이들이 씩씩대는 모습이 든든하기 그지없다.

다만 그렇다 해도 제일 중요한 건 내 전력을 키우는 일이다.

'내가 황제 클래스였어도 드래곤들이 그런 식으로 나올 수 있었을까? 갑자기 나타나서 위협을 가하고 협박하는?'

어림없는 일이다. 고룡(Ancient Dragon)인 시녀장은 틀림없이 엄청난 강자였지만…… 그렇다고 중급 초월자 이상은 아니기 때문이다.

'낮으면 28레벨. 최대한 높이 잡아 줘도 준 황제. 그러니까 29.5레벨 정도다.'

물론 내 감지력은 그리 완벽하지 않다. '나보다 확실하게 강해 보인다.'는 느낌을 받았을 뿐이면서 그녀가 황제 클래스가 아니라고 확언하는 것은 웃긴 일이겠지.

그러나 그럼에도.

'아니다.'

그렇다. 나는 확신한다. 그녀는 황제 클래스가 아니다.

왜냐하면, 내가 그녀를 모르기 때문이다.

'아무리 노블레스라고 해도 숨겨진 황제 클래스 따위가 있을 리 없지.'

중급 초월자, 황제 클래스라는 건 그런 의미다.

아무리 변방의 우주에 있고, 얌전히 살고 있다 해도…… 정명(正命)한 황제 클래스는 그 이름이 온 우주를 떨쳐 울릴 수밖에 없다.

일개 우주 해적에 불과했던 검황(劍皇)이 그렇고 변방의 듣보잡이었던 색황(色皇)이 그랬다. 마도황녀(魔道皇女)나 인중신(人中神), 올마스터(All master)는 말할 것도 없겠지.

그들은 존재 자체가 업과 운명의 폭풍과도 같은 존재이니, 최상급 신처럼 세계에 존재 자체가 새겨질 정도는 아니더라도 그 존재가 드러날 수밖에 없다.

"그보다 좀 도와줄 수 있어?"

분노한 오룡이들을 달랜 후 본격적인 용무를 꺼낸다.

"도와 달라니?"

"수련을 시작할 생각이야."

내 말에 루비가 고개를 갸웃거린다.

"수련이야 매일 하잖아."

스노우도 고개를 끄덕였다.

"거기에 일도 엄청 하고 있지요. 솔직히 이렇게 빡빡하게 사는 초월자가 어디 있어요?"

바로 들어오는 반대에 웃는다.

"할 만하니 하는 거지 뭐. 요번에 아주 중요한 수련이 있는데……."

"아니 아니 아나. 이해 못하는 거 같은데…… 이미 지나치다니까?"

"그렇습니다. 재연 님은 이미 과도해요. 벌써 1년 가까이 쉬는 걸 못 봤는데."

루비와 플라워의 만류, 모처럼 흑요마저 고개를 끄덕인다.

"정체기라고 느끼는 모양인데…… 성급한 판단이다. 오히려 네 성장 속도는 비상식적이야."

"맞아, 맞아. 네가 34지구 출신이 아니었다면, 또 게임마스터의 사도가 아니었다면, 온갖 세력이 네 비밀을 탐내거나 너를 잡아다 연구하려 했을걸?"

그녀들의 말에 의문을 표한다.

"왜? 20대 초월자가 대우주에 없는 것도 아니잖아?"

초월자는 극도로 희귀한 존재다.

야만 문명(1문명)에는 거의 없다시피 하고 하위 문명(2문명)에는 수백수천 년에 하나씩 등장해 신적인 초월자로 숭배 받는 수준.

우주 문명(3문명)쯤 되면 그나마 그 빈도수가 높아지지만 그래 봐야 100억 중 한 명 나오면 많이 나온다고 평가받을 정도다.

'하지만 대우주 기준으로 보면 그리 드물지도 않지.'

드넓은 대우주에 포진한 수천수만 개의 문명. 수백 수천만 개가 넘는 행성들을 생각해 보면 초월자의 수는 감히 가늠이 안 될 정도다. 내가 20살에 초월지경에 올랐어도 세릴 연구원이나 프린스 등이 못 알아본 것도 같은 이유.

초월자가 이렇게 많은 만큼 타입이 다양한 것도 당연한 일이다.

야만 문명에서 태어나 해가 뜨고 지는 모습을 보고 크게 깨달아 초월자가 된다거나.

초월종으로 태어난 갓난아기 때부터 확정 초월자라거나.

10대에 큰병에 걸려 죽다 살아나서, 난데없는 우주적인 재앙에 휩쓸려서, [적]과의 전투에서 살해당한 신의 사체를 흡수해서, 하위 문명의 끝없는 전쟁에서 살육을 반복하다가…….

온갖 이유로 초월자는 생겨나기 마련이다.

내 케이스가 아주 드물기는 해도 그리 문제가 될 정도일까?

"문제가 된다."

그러나 흑요는 말했다.

"초월의 경지는 단지 재능 하나로 넘어설 수 있는 게 아니야. 넌 충분한 업(業)을 가지고 태어나지도 않았으면서…… 너무나 손쉽게 초월의 벽을 넘었어. 이토록 사연

없는 초월자는 드물지."

"……업과 사연이라."

"그래 맞아. 사람들은 그냥 네가 신혈(神血)을 이었나 보다 하고 대충 넘기는 모양이지만…… 아니잖아?"

단호한 목소리에 쓰게 웃는다.

"그건 그렇지."

지금 내 성취는 비범한 수준을 넘어가며…… 거기에는 아무런 근거가 없다. 아르데니아라는 세상을 알 수 없는 이상 내 능력을 이해하기란 불가능하리라.

"조금 더 여유를 가지면 안 될까? 마치 쫓기는 것 같아."

"맞아. 일도 좀 줄여! 무슨 일정을 수면 시간도 없이 잡아!?"

"놀러 다니는 것도 좋겠지. 내가 괜찮은데 많이 아는데."

"천천히 여유를 가지고 걸어가도 괜찮아요. 저희가 이런 말하기 우습지만…… 재연 씨에게는 시간이 많으니까요."

오룡이들이 다가와 나를 설득한다. 사실 크게 틀린 말도 아니다.

그러나.

"모두 고마워."

나는 그녀들의 손을 잡고 말했다.

"하지만 더 해 보고 싶어."

"……."

"……."

"……."

"……."

"도와줄 거지?"

오룡이들이 입을 다물고 나를 바라보았다. 내가 고개 돌리지 않고 마주 보자, 그녀들은 이내 깊이 한숨 쉬었다.

"그래…… 알았다, 알았어! 으휴."

"어쩔 수 없네요, 정말."

"반한 게 죄지, 죄야……."

"……뭐, 이 모습도 나쁘지 않군."

"그래서 뭘 어째야 하는데요?"

쫑알대는 오룡이들을 달래며 그녀들에게 몇 가지 준비를 부탁했다. 드래곤 스타의 유일한 매니저 어둑서니에게 연락해 일정도 정리했다.

원고는 비축분이 산처럼 쌓여 있고 영화 촬영도 끝난 상태이기에 여유는 충분하다.

"로그인."

아르데니아로 넘어간다. 사실 모든 준비는 이미 끝나 있었다.

"보고드립니다! 보고자 스틸스톤 외 신화급 플레이어 7명."

개인 자격으로 지원한 이들로, 사실상 황후인 플라워를 제외한 신화급 플레이어 전원이다.

에드워드, 헤이즈, 스틸스톤, 힐링, 헌드레드, 레드. 그리고 남궁일검과 하모니까지.

“신화 수호대 13명!”

세금 문제 때문에 예상보다 많이 만들어진 신화 카드들로 만든 부대다.

주로 황실 친위대에서 선택한 이들로 강력한 힘과 드높은 명예를 가지는 대신 권력이나 부를 탐하지 않겠다 맹세한 존재들이다.

“그리고 전설 수호단 250명입니다!”

전설급으로 세팅한 부대다. 적과 싸우기보다 보조, 보급, 진지 구축을 목표로 장비와 아이템을 챙긴 플레이어들.

나는 그들 앞에 서 말했다.

“준비됐나.”

“충!”

“충!”

“충!”

우리는 대륙의 정중앙, 천원에 자리한 빛의 기둥 앞에서 있다.

내가 끝도 없이 정신 교육을 시킨지라 인류제국의 전부나 다름없는 전력에도 모두가 바짝 긴장하고 있는 상태.

나는 그들과 일일이 눈을 마주치며 입을 열었다.

"가장 중요한 건?"

"스스로의 목숨입니다!"

"그래. 너희들 하나하나의 목숨은 제국의 힘이자 재산이다. 절대 죽지 말도록!"

"충!"

"충!"

"충!"

나는 예를 취하는 플레이어들을 보다 몸을 돌렸다.

'두 번은 없다.'

준비는 이미 지나칠 정도로 해 두었다.

'다만…… 결말을 확신할 수는 없지.'

나는 애초에 정상적인 과정을 거쳐 차크라 입문하지 않았다. 수련도 단지 요소(要素)를 파고들었을 뿐, 끝없는 자기관조로 뇌를 깨우고 정신을 승화(昇華)시키는 명상(冥想)과 거리가 멀다.

왜냐하면 나는 무량구층을 수련하는 대신 화점을 정벌해 열었기 때문이다.

'사실 그것만 해도 말이 안 되는 치트지.'

이걸로 무량구층을 완성하게 되었다. 세상 그 누구도 납득하지 못할 사기든 말든 어쨌든 벌어진 결과.

문제는 이 흐름이 내가 천원(天元)마저 정복했을 때에도 진행되느냐는 것이다.

'지금까지처럼 경지가 오른다면…… 10층의 경지지. 굳

이 말하자면 황제 클래스.'

그러나 정말 그게 가능할까?

[그녀]는 창조신에 맞먹는 존재지만 아직까지 중급신에 해당하는 존재나 능력은 만들어 내지 못하고 있다.

"해 보면…… 알겠지."

홀로 게이트를 넘는다.

[죽음의 신전]

우주나 다름없는 그곳은 대기(大氣)가 전혀 없는, 생명체에게 매우 적대적인 환경이다.

극의지체를 완성한 나야 몇 달이고 숨을 안 쉬어도 상관없지만 다른 플레이어들은 그럴 수 없기에 많은 준비를 해야 했다.

[침입자.]

잠시 자리에 서 있는 내게 신화급 일반 몬스터, 엘더 스켈레톤이 접근한다.

지성이랄 게 없는 멍청한 놈들이지만, 명색에 신화급인지라 감지 범위가 보통이 아니다.

그러나.

[치명타!]

머리를 부숴 버렸다.

단 일격에 엘더 스켈레톤이 죽어 나자빠진다. 히페리온에 걸리는 부하는 마지막으로 녀석과 싸웠을 때와 비교할 수 없을 정도로 가볍다.

[침입자.]

[침입자.]

[침입자.]

[침입자.]

전투의 기척을 확인한 엘더 스켈레톤들이 사방에서 몰려온다.

히페리온을 휘두른다.

[치명타!]

[치명타!]

[치명타!]

일검에 하나씩 죽어 나간다. 광속으로 몸을 날리긴커녕 검강조차 제대로 두를 필요가 없다.

말이 좋아 신화급이지 일반급 신화 몬스터는 준 초월자에 불과한 존재.

'그저 스펙이 높을 뿐이지!'

쾅!

검을 휘두르자 대지에 기다란 상흔이 새겨지며 지반에

융기가 일어난다.

예전과 달리 나는 얌전히 싸우지 않았다. 아니, 오히려 난장을 쳤다. 어려울 것도 없다. 평소와 달리 [힘]을 [집중]하지만 않으면 되는 일이니까.

쩌저정!

쿠콰쾅!

전력으로 검을 휘두르자 충격파가 사방을 뒤흔들었다. 대지에 파도가 치고 충격파가 위성 전체에 퍼져 나간다.

당연히 [죽음의 신전] 전체에 흩어져 있던 몬스터들이 몰려온다.

[침입자.]

[침입자.]

[침입자.]

[침입자.]

점점 적의 밀도가 높아졌지만 내가 기다리고 있던 일이다.

쾅!

단박에 위성의 중력권을 벗어날 듯 뛰어오르자 언데드들 중 탁월하게 강한 존재들이 모습을 드러낸다.

[침입자 확인, 배제하겠습니다.]

신화급 엘리트 몬스터, 루나 데스 나이트 남궁현아.

쿠우.

차원을 밟은 채, 몸을 잔뜩 웅크린다.

물질계의 한계에 도달한 극강의 근육에 파괴적인 물리력이 깃든다.

고오오--!

단지 힘을 주는 것만으로 차원이 진동하는 근력.

나는 그 모든 근력에 대해에서 뿜어져 나오는 무진장의 내공까지 더해 뛰었다. 추락(墜落)이라기에는 너무나 빠른 가속이다.

[천검-백인참(百人斬)]&[천지를 가르는 검]

대기만성(大器晩成). 극광(克光).

[치명타!]

빛과 같은 아니, 빛보다 빠른 검격이 신화급 몬스터를 양단하고.

쩌저정--!

회색의 위성을 파괴한다.

푸확-!

거대한 크레이터가 생겨나고 회색의 토양이 폭포처럼 쏟아진다. 그야말로 천재지변이나 다름없는 광경이지만 신화급 괴물들이 고작 이 정도에 휩쓸려 죽을 일은 당연히 없다

문제는 흙더미 사이에서 전염병처럼 퍼져 나가는 검격.

콰과과광!

엘더 스켈레톤들의 머리가 쪼개지고 머리 안의 코어가 박살 나며, 전신의 뼈가 사방으로 흩어진다.

나는 그 수를 가늠했다.

'350마리인가. 다들 생명력이 높아서 천지검 증식에도 한계가 있다.'

지금의 내 천지검은 하위 문명에서 터트리면 수백만 명도 죽일 수 있는 위력을 품고 있지만 아무리 그래도 신화급 사냥터에서는 한계가 있다. 얼핏 보기엔 볼품없는 엘더 스켈레톤의 뼈다귀는 하나하나가 미스릴에 맞먹는 강도를 가지고 있었다.

그리고 무엇보다.

[크윽…… 내 실드가…….]

중간중간 섞여 있는 엘리트 몬스터들이 천지검의 증식을 끊어 버린다. 특히나 능동 방어류 능력이 아주 문제다.

"나 참, 전사보다 마법사가 더 말썽이네."

입을 열어 한탄했지만 대기가 없었기에 누구도 듣지 못한다.

상관없는 일이다.

내가 대지를 내려 친 순간…… 이 회색의 위성에서 내 존재를 모르는 몬스터는 있을 수 없는 일이니까.

[침입자.]

[침입자.]

[침입자.]

[침입자.]

사방에서 엘더 스켈레톤들이 몰려 온다. 그뿐이 아니다.

[침입자 확인. 배제하겠습니다.]

[흐! 재미있어 보이는 녀석이로구나!]

[꺄하하! 강해 보이는 인간! 누나랑 재미있는 거 안 할래?]

[인간. 제거.]

신화 등급의 루나 데스 나이트 남궁현아, 데몬 리치 사루만, 진조 유르니아, 엘더 머미 뜨거운 망치 등의 엘리트 몬스터가 모습을 드러낸다.

"나와라."

다가오는 그들을 보며 한 발 물러서서 속삭인다.

"레플리."

훅!

한순간 공간이 일렁이는가 싶더니 거대한 어둠을 휘감은 망령룡으로 화한다.

[침입자. 추가.]

[죽음의 용! 저건 내가 갖겠다!]

바로 달려드는 적들의 모습에 황당해한다.

"아니, 너무하는 거 아니냐? 얘가 니들 보스야 보스."

레플리를 펫으로 불렀다고 항복하는 그림까지는 기대하지 않았지만 아무리 그래도 신경조차 쓰지 않는다니.

혀를 차며 품에서 [학살 공작의 파이프]를 꺼내 입에 물었다.

'보고 또 봐도 신화급은 아니지만…… 없는 것보다는 낫겠지.'

[공격 시 30% 확률로 무작위 대상 공격]은 예상했던 대로 작동하지 않았다. 턴제 게임인 [가장 어두운 절망]과 현실의 구조 자체가 맞지 않기 때문이다.

[적 처치 시 스트레스 -2%.]가 무용지물인 것도 당연지사.

다만 난투전이 될 수밖에 없는 이번 전투에서 [생명력 75% 이상일 시 데미지 반사 50%]와 [생명력 100% 이상일 시 데미지 반사 100%]의 데미지 반사 능력은 충분히 기대할 만하다.

시스템 UI로 시간을 확인했다.

'앞으로 30분.'

아르데니아에서 10년을 머무는 동안 끊임없이 천원을 공략했음에도 사천왕 얼굴도 보기 힘들었던 것은 이 망할 놈의 숫자 차이 때문이다.

'게임에서는 인식 거리에 들어가야 덤비는데 여기서는 소란이 일면 큰 사냥터에서 다 몰려오니…….'

지금의 나는 강해졌다.

강기의 활용 능력은 예전에 이곳에 찾아왔을 때와 비교조차 할 수 없을 정도고, 광속을 넘어서는 가속도 웃으며 할 수 있을 정도로 극의지체에 익숙해졌다.

신화급 장비 스페이스 건틀렛을 장비했으며 모든 컬렉션을 완성해 상상을 초월하는 스텟을 지니고 있다.

그러나 다구리 앞에서는 장사 없는 법.

지금의 내 전투력은 19.5레벨의 일반 몬스터나 20레벨의 엘리트 몬스터 따위는 그냥 압살하는 것이 가능할 정도지만…… 아무리 그래도 그 수가 수천수만이면 승산이 없다.

[치명타!]

[치명타!]

[치명타!]

망설임 없이 목을 치고 머리를 부수며 치명타를 쌓아나간다. 몰려드는 적들이 점점 많아졌지만 아직은 견딜 만하다.

'생각보다 할 만하다.'

로그인&로그아웃 능력으로 무한에 가까운 전투 지속력을 가진 내가 끝없이 싸운다면 언젠가 다 잡을 수 있지 않을까 하는 생각이 들 정도.

그러나 고개를 흔든다.

'리젠 때문에 불가능해. 무엇보다 전투가 너무 길어지면 사천왕이 온다.'

문제는 그뿐만이 아니어서 내가 천원에서 너무 긴 시간 머무르면 현실에 초월급 몬스터가 대량으로 발생한다.

물론 이는 가정일 뿐이지만…… 가급적 전투 시간을 조절해야 한다.

콰광! 쿠구궁!

10분이 지난다. 천 단위의 몬스터가 죽고 그 몇 배는 되는 숫자가 몰려 온다.

쩌정!

20분이 지난다. 사냥터에 있는 몬스터들이 죄다 몰려온 듯 몬스터가 늘어나는 속도가 줄어들었지만…… 그만큼 내게 가해지는 부담도 커진다.

[크아아앙---!]

미친 듯 달려드는 적들의 공격에 레플리가 비명 지르는 모습이 보인다. 녀석은 하늘 높이 날아올라 포격을 가하려 들었지만 엘더 스켈레톤은 미사일처럼 하늘로 솟구쳐 녀석의 몸을 붙잡았다.

[절망하라! 후회하라! 좌절의 거창!]

퍽!

"윽……."

엘더 스켈레톤들이 내 발을 잡는 동안 데몬 리치 사루만이 사용한 궁극 마법이 등판을 후려친다.

기가스보다도, 전함보다도 튼튼한 내구력을 가진 극의 지체지만, 아무리 그래도 궁극 마법을 맞고 멀쩡할 수는 없다.

검강도 마찬가지다.

좌악!

날카로운 검격이 어깨를 치고 지나가자 피부가 갈라지며 피가 튀었다. 극의지체의 육신은 금세 상처를 봉합했지만 검강에 실린 염(念)이 회복을 방해한다.

[크! 이게 무슨…….]

[타격이 되돌아온다…….]

다행히 연속 공격을 당하지는 않았다. [학살 공작의 파이프]의 데미지 반사의 덕을 본 것.

다만 나 역시 반격을 가하지 못했다.

"아니, 저것이……!"

나는 공격을 날리고서는 미련 없이 물러서는 남궁현아의 모습에 이를 갈았다. 개떼처럼 몰려든 엘더 스켈레톤 놈들 때문에 추격을 할 수가 없다.

퍼벙펑!

내 몸에 달라붙어 있던 피가 폭발한다. 진조급 뱀파이어 유르니아의 힘! 당장 달려들어 골통을 부수려 했지만.

[인간. 못 간다.]

드워프 미이라. 엘더 머미 뜨거운 망치가 내 앞을 막아선다. 녀석의 몸은 너무나 단단해 강기를 휘감은 검격으로도 끊어 낼 수가 없다.

눈만 움직여 다시 시간을 확인한다.

'25초.'

계속 시간을 확인한다. 조금이라도 시간이 어긋났다가는 감당하기 힘든 수준의 피해가 발생할 것이다.

'5.'

미친 듯이 검강을 뿌리고 달려드는 적들을 찢고 박살낸다.

'4.'

날아드는 공격은 몸으로 다 때웠다. 강대한 육신이 조금씩 망가지고 있었지만 상관없다.

'3.'

그리고 최후의 순간.

"레플리!"

[간다.]

우우----!

대답과 동시에 하늘에 어둠이 집결한다. 레플리를 공격하던 모든 적들이 어둠의 급류에 밀려 추락했다.

그리고 그 순간.

푸확!

하늘에서 쏟아진 어둠이 파동으로 변해 온 세상을 후려친다.

[잔재주를---!]

[막아 냄.]

[어림없어!]

세상이 멸망하기라도 할 듯 어마어마한 이펙트에 비해 결과는 처참하다. 이미 내가 얻어맞았던 몇몇의 엘더 스켈레톤을 제외하고는 피해가 0마리에 수렴하는 수준.

그러나 실망하지 않는다.

'당연한 일이야.'

밸런스팀이 미치지 않고서야 이런 초 광범위 공격에 신화급 몬스터가 쓸려 나가는 위력을 줬을 리 없다.

그러나 상관없다.

[종말의 숨결]

시야 안에 있는 모든 적에게 초 극대의 어둠 데미지.

피해 입은 모든 적의 물리 방어력과 마법 방어력을 50% 감소시킨다.(10초).

애초에 양념이었으니까.

"로그아웃."

지구로 돌아오자 몸 여기저기에서 피가 튄다.

촤악!

"꺅!? 상처가……!"

"아니, 진짜로 상처가 생겼잖아? 심지어 이건 강기상이야!"

"궁극 마법의 흔적이……."

오룡이들이 호들갑을 떨며 내 몸에 포션을 끼얹고 입 안에 영약을 흘려 넣는다.

"리커버리(Recovery)."

거기에 강대한 치유 주문까지.

애초에 입은 피해가 그리 크지도 않았기에 회복은 순식간이다.

"와. 아무리 그래도 심상 전투인데 이건 너무 찐 부상 아니야?"

"말했잖아. 소우주를 열어서 거기서 싸운다고."

차크라는 아직도 많은 영역이 미지인 영능이다. 수련법이야 체계화되었더라도 수련자들의 각기 다른 정신이 전혀 다른 결과물을 만들어 내곤 했기 때문이다.

실제로 특이한 능력이 다수 존재한다.

'어제의 나와 싸워 이기면 영능이 성장하는 일신우일신(日新又日新). 승리한 적을 심상 세계에서 불러낼 수 있는 투쟁의 탑이 그렇지.'

내 차크라 능력이 아트만의 경지에 이르렀음에도 거기에 걸맞은 전투 능력을 선보인 적이 없으니, 그 능력이 [훈련]에 특화되어 있다고 해도 충분한 개연성이 있다.

소환 능력을 내보인 적은 많지만 상관없다. 그건 누가 봐도 게임 마스터로서의 권능으로 보이기 때문!

게임 아이템, 펫을 구현하는 능력이니 어떻게 생각하면

당연한 일이다.

"후."

완전히 회복된 상태로 운기조식에 들어간다.

오룡이들 중 무공에 특화된 흑요가 뒤에서 나를 안아 들었다.

"말했던 대로 내공을 이끌어 줄 거야. 정신 바짝 차리고 심상에 집중해."

흑요의 목소리를 들으며 눈을 감는다.

촤악…….

잔잔한 파도가 일고 있는 대해에서 눈을 뜬다. 바다 깊은 곳에서는 온갖 물고기들이 헤엄치고 하늘에서는 썬더버드가, 땅 속에서는 랜드웜이 꿈틀대고 있다.

그리고 바다 한편에 있는 섬에는.

[아, 뭐야. 또 큰 기술 쓰는 거야?]

커다란 나무에 기대 소설책을 읽고 있던 흑발의 소녀가 있었다.

마검 히페리온이다.

"……너 요새 아주 한가하구나?"

[바쁠 게 뭐 있어. 일도 없는데.]

틀린 말은 아니다. 마검 히페리온의 특성 마검혼(魔劍魂)을 요새 전혀 쓰지 않기 때문.

'성능은 무난히 나쁘지 않긴 한데…….'

문제는 녀석이 소환되어 있으면 슬롯에 장착되어 있는

전설 아이템의 드랍 확률을 증가시키는 [금빛 중첩]이 작동하지 않는다는 것이다.

처음에는 단순히 느낌인 줄 알았는데 몇 번의 실험 끝에 그게 사실이라는 걸 확인할 수 있었다.

마검혼이 소환되면 [금빛 중첩]의 효과가 검이 아닌 마검혼에서 발동된다는 것!

'무조건 봉인이지.'

챔피언이나 보스급 몬스터를 잡아 능력을 발동시키는 황도 12궁(黃道十二宮) 역시 발동시키기도 힘들고 발동시켜봐야 대단한 효과가 없다.

문자 그대로 AOS 게임에서나 쓸모있는 능력이기 때문이다.

"하지만 그렇다고 이렇게 팔자 좋은 모습을 보기도 좀……."

[우우! 쪼잔하다. 내가 사고 안 치면 고마운 줄 알아야지.]

"그게 할 말이냐……."

헛웃음을 짓는다.

'예전엔 분명 이런 모습이 아니었는데.'

사사건건 지루하다고, 싸우고 싶다고 난리를 피우던 녀석이 달라진 건 내 내면세계에서 내가 필사한 소설들을 발견하면서였다.

내 내면 세계에 있는 지식과 영능의 기록을 발견한 히

페리온이 그걸 읽기 시작한 것이다.

그 이후.

녀석은 맨날 소설만 본다. 공포의 마검은 어디 가고 외출 한 번도 안 하는 백수 니트가 되어 버렸다.

[그나저나 여기 온 건…… 기술 쓰려는 거야?]

"그래."

[아. 내면세계는 황량해서 가기 싫은데…… 뭐 그래도 폭풍우를 맞는 것보다는 낫겠지.]

끼익.

문을 만들어 내더니 그대로 데굴데굴 굴러 문 안에 들어가는 히페리온의 모습을 잠시 지켜보다 이내 고개를 흔들었다.

"신경 쓰지 말고 일이나 해야지."

원래 대해를 폭주시키기 위해서는 기나긴 운기조식이 필요하다. 내가 가진 어마어마한 내공을 일깨우는 것만 해도 한나절이기 때문.

그러나 오늘은 도우미가 있다.

쿠르릉! 콰릉!

먹구름이 몰려 온다. 강풍이 불어 닥치고, 그에 따라 대해가 꿈틀거리고 있다.

당연하지만 이 모든 것은 그저 이미지.

절대 고수인 흑요가 외부에서 내 내공을 자극시키는 과정이다.

'역시…….'

나는 흑요의 내공 제어에 감탄했다.

'흑요는…… 내가 감히 범접할 수 없는 고수다.'

하기야 크로매틱 드래곤은 황제 클래스를 넘어 상급 초월자.

흔히 언터쳐블(Untouchable)이라 불리는 존재에 한없이 가깝다고 알려진 존재다. 다섯으로 쪼개졌다 해도 그 경지와 깨달음이 어디에 가진 않겠지.

쿠오오…….

결과적으로 나는 고작 15분 만에 대해를 폭주시키는 데 성공했고.

"로그인."

아르데니아로 들어가.

[천검-백인참(百人斬)]&[천지를 가르는 검]

대기만성(大器晩成). 파천극광(破天克光).

내가 할 수 있는 최강의 일격을 때렸다.

퍽.

순간 아무런 공포도, 두려움도 없이 달려들던 몬스터들이 동시에 멈춰 선다.

[크억…… 이, 무슨…….]

흑색의 기운을 폭포처럼 쏟아 내며 사루만이 주춤주춤

물러선다. 녀석은 자신의 코어를 더듬더듬 잡아 기운의 누수를 막으려 했지만 소용없다.

광란의 도가니였던 사냥터가 단박에 적막에 잠긴다.

쩍. 쩌적!

미친 듯 달려들던 엘더 스켈레톤의 머리가 수직으로 쪼개진다.

뒤의 녀석도, 또 뒤의 녀석도.

그 너머 데스 나이트도, 리치도, 진조급 뱀파이어도 엘더 머미도…….

모두가 수직으로 쪼개진다.

'370마리.'

망령룡 레플리의 양념딜, 물리&마법 저항력 50% 감소, 천검-백인참에 천지를 가르는 검, 히페리온의 물리&마력 계수, 적 공격 시 반경 5미터 안쪽의 적에게 동일한 데미지가 들어가는 스페이스 건틀렛의 [범위 증가]까지.

'사실 이 모든 걸 감안하면 370마리는 너무 적지.'

다만 중요한 것은.

그 370마리 중에 죽어라 나를 공격하던 14마리의 엘리트 몬스터가 포함돼 있다는 사실이었다.

우르르! 촤라라랑!

두두두두!

머리가 쪼개진 몬스터들이 쓰러짐과 동시에 아이템이

비처럼 쏟아진다. 평소대로라면 당장 분류를 시작하겠지만 나는 아이템 대신 주위의 빈 공간을 살폈다.

이내 기다리던 것이 나타난다.

팟!

3킬로미터 정도 떨어진 곳에 완전무장한 에드워드가 나타난다. 녀석은 단 한 마디의 말도 없이 작전 계획 대로 움직였다.

손에 들고 있던 귀환 주문서를 인벤토리에 넣은 후 커다란 열쇠를 꺼내 바닥에 던진 것이다.

[길드 레이드 준비 중입니다…….]

이는 길드 레이드 진행을 위한 [소환의 열쇠]이다. 최고급 목재, 철, 보석, 천, 가죽 1개씩과 100만 골드를 소모해 제작하는 아이템.

'원래대로라면 못 쓰지만 여기 던전은 일종의 필드 개념이라 사용이 가능하지.'

정해진 자리가 아니기에 결국 소환에 실패하고 말지만……. 중요한 것은 그 사이의 과정.

소환의 열쇠가 사용되는 공간은 일정 시간 동안 [던전]의 영역에서 분리되며 해당 길드의 길드원들만 오갈 수 있는 상태가 된다.

리벤지가 현실화 된 아르데니아에서는 시스템적인 보

호가 먹히지 않지만……. 적어도 강기 한 번은 막을 수 있다는 게 실험으로 증명되었다.

팟! 팟! 팟! 팟!

동시에 수백 명의 플레이어가 모습을 드러낸다. 점령되지 않은 던전 진입 때 늘 그래 왔듯 랜덤한 위치에서의 등장.

당연하지만 그 모든 상황을 가정하고 있던 플레이어들은 등장과 동시에 주변을 살피고는 빠르게 끼리끼리 모이거나 소환의 열쇠를 사용했다.

[길드 레이드 준비 중입니다…….]

[길드 레이드 준비 중입니다…….]

플레이어들은 소환의 열쇠로 만들어진 방벽 안에서 등에 바리바리 메고 온 마법 물품을 설치했다. 전투에 필요한 산소 등을 보급하는 장비다.

혹 재수 없게 랜덤 등장이 몬스터 한가운데로 지정된다면?

찌익! 팟!

들어올 때부터 손에 들고 있던 귀환 스크롤을 찢어 바로 탈출한다.

'좋아, 잘하고 있군.'

녀석들은 전초기지 삼아 점령해 둔 100킬로미터 위쪽의 도시로 날아갔다가 무리를 지어 다시 진입할 것이다.

[작전을 실행하겠습니다.]

머릿속으로 울리는 텔레파시에 고개를 끄덕인다.

[확인.]

[충!]

마침내 모든 플레이어가 죽음의 신전으로 들어왔다.

원래대로라면 사방에 흩어져 있는 신화급 몬스터에게 공격당했겠지만, 내가 30분 동안 난장을 친 덕분에 사냥터에 흩어져 있어야 할 모든 몬스터들이 한 장소에 집결해 있는 상태.

[새로운…… 침입자…….]

[저 녀석들은 또 뭐야!?]

물론 초월적인 감각을 가진 신화급 몬스터들은 플레이이의 등장을 감지했지만…… 당장 눈앞에서 자신들을 도륙하고 있는 내가 있는데 뒤돌아서 몸을 뺄 수 있을 리 만무하다.

칭! 치잉! 차르릉!

모여서 군진(軍陣)을 이룬 플레이어들 사이에서 연신 빛이 번쩍인다. 250명의 전설급 플레이어.

당연하지만 전설급 플레이어들은 싸우러 오지 않았다. 엘더 스켈레톤이 신화급 치고는 약하다지만 명색에 준초월인데 고작 전설급이 어찌 전투에 나설 수 있겠는가?

그들이 해야 할 일은 따로 있다.

[신성의 빛!]

[이터널 라이프(Eternal Life)!]

[인챈트 라이트(Enchant Light)!]

[포스 실드(Force Shield)!]

신화급 플레이어들에게 온갖 보조 스킬들을 사용한다.

그뿐이 아니다.

[턴 언데드(Turn Undead)!]

[슬로우(Slow)!]

[스티그마(Stigma)!]

[캔슬(Cancel)!]

[컨퓨즈(Confuse)!]

온갖 디버프가 그들을 향해 달려들던 신화급 몬스터에게 쏟아진다. 몬스터들의 속도가 느려지고, 저항력이 떨어지고 능력이 취소된다.

사실 말이 안 되는 일이다.

격하(格下)의 존재는 초월의 존재에게 간섭하기 어렵다. 저주나 디버프를 수백 수천 번 날려도 마찬가지.

이것은 격(格)의 차이니 양(量)으로 해결될 문제가 아니다.

하늘에 떠 있는 달을 향해 돌을 천만 개쯤 던진다고 하나쯤 날아가 달을 맞출 수는 없는 일 아니던가?

'하지만 스킬은 다르지.'

아무리 캐릭터 간의 격차가 크다 해도 무방비로 맞으면 적어도 '1' 데미지는 들어간다.

신화급 몬스터라고 해도 디버프에 안 걸리는 게 아니다. 게임 시스템상 빨리 풀릴 뿐이니, 적어도 0.1초는 디버프가 유지된다는 말.

그리고 그렇게 디버프가 걸리면.

[검강(劍剛) 간다!]

벼락처럼 달려든 헤이즈가 엘더 스켈레톤의 골통을 쪼갰다.

그녀는 초월자가 아니지만…… 상관없다.

신화급 클레스라면 신화급 스킬을 익힐 수 있기 때문이다.

그들의 전력을 맞추기 위해 신화 스킬 북을 30개나 사야 했다.

'뼈아픈 소비지만…… 돈 값을 하는군.'

이러니저러니 해도 신화는 신화.

본인의 깨달음으로 완성한 것이 아니기에 크기를 늘리지도, 변화시키지도 못하지만, 신화 스킬이 만든 검강은 틀림없이 진짜다.

마법도 마찬가지.

[혼돈의 이름으로 짓누르라! 어비스 핸드(Abyss Hand)!]

[짓누르고 억압하는 공간! 그라비티(Gravity)!]

궁극 마법이 줄줄이 터져 나온다.

던전에 들어오기 전, 마나 영약과 마법 버프 음식을 먹고 버프 스킬까지 두르고 왔기에 위력은 충분하다 못해 넘쳤다.

대부분의 플레이어들이 자신들이 사용하는 주문의 구조조차 파악하지 못하지만 상관없다.

스킬은 쓰면 나가기 때문이다.

[크! 저 버러지 같은 놈들이……!]

"어디 보니?"

콰득!

신경이 분산된 데몬 리치 사루만의 머리통을 쪼개 버린다.

'좋아, 작전대로다!'

무지막지하게 몰려들던 다구리가 단번에 약화된다. 후방에 플레이어 군단이 나타났으니 내게 전력을 집중하기 불가능한 것!

심지어 그뿐이 아니다.

[크아아앙!]

[크하하! 몽땅 불타라! 잿가루로 만들어 주마!]

[끼루루룩!]

신화급 펫들이 대거 등장해 전투에 합류한다. 솔직하게 말해서, 제 주인보다 세면 세지 절대 약하지 않은 녀석들이다.

"로그아웃."

현실로 돌아온다.

"주화입마다. 운기조식에 들어가겠다."

"으아 근육이 끊어졌어! 이게 말이 되나!?"

오룡이들이 호들갑을 떨며 내 몸에 포션을 끼얹고 입 안에 영약을 흘려 넣는다.

"리커버리(Recovery)."

치유 마법은 이제 자연스러운 흐름.

나는 플라워의 품에 안겨 생각한다.

'24시간은커녕…… 20시간이면 가능하다.'

천원의 특이성 때문일까? 엘더 스켈레톤은 신화급 주제에 리젠에 6시간 밖에 걸리지 않았다.

엘리트급 정도 되면 그나마 24시간.

예전에는 이 24시간도 지나치다 생각했지만…… 지금이라면 엘리트 녀석들이 리젠되기 전에 스페셜 보스 레플리의 목을 따기에 충분하다.

"그래서 어때 재연아? 수련은 잘될 거 같아?"

어느새 내 품에 쏙 안겨 든 루비가 묻는다.

흑요가 슬그머니 내 오른쪽으로 붙고 스노우가 풍만한 가슴으로 왼팔을 꾹꾹 누른다.

'아…… 이거 훈련 맞나? 왠지 호사의 느낌이.'

"잘되고 있어. 이대로라면…… 충분히 가능할 듯 해."

"한 단계 더 성장할 거라고? 솔직히 지금도 좀 지나치게 강한 편인데."

"맞습니다. 30년도 못 살았으면서 엔간한 웜급보다 강할 정도니……."

"하지만 요번 훈련 끝나면 저희랑 14박 15일로 놀러 간다는 약속도 잊으면 안 돼요!"

칭얼거리는 오룡이들을 달랜 난 그녀들과 노닥거리며 휴식했다.

그러다 몸 상태가 회복되면.

"로그인."

죽어라 언데드들을 썰어 죽이고.

"로그아웃."

다시 지구로 돌아온다.

언제나 그랬듯 반복이다. 평소와 다른 점은 휴식을 취하는 장소 정도.

'아르데니아에서 1시간 싸우면 지구에서 하루가 훌쩍 지나 버리는군…….'

덕분에 한동안 일을 할 수가 없었다. 정말 오랜만에 노동 없이 보내는 시간에 약간의 초조함이 있었지만, 그렇다고 아예 버리는 시간은 아니다.

아르데니아에서의 격한 전투를 소화시켜 줄 최고의 교사들이 붙어 있었기 때문이다.

"무공 하나하나를 익혀 봐라. 가능하면 심법도."

흑요의 말에 고개를 갸웃거린다.

"초식이면 몰라도 심법을 어떻게 여러 개 익혀?"

한 번에 익힐 수 있는 심법은 대체로 하나다. 심법이란 육신과 정신, 심지어 영혼과도 연관되기에 여러 개를 같이 익히거나 함부로 갈아치우다가는 폐인이 되기 십상이기 때문.

'만약 그렇지 않다면 모든 무인이 쾌진공을 익혀 이류의 경지에 오른 뒤 다른 심법으로 갈아탔겠지.'

그런데 흑요가 뜻밖의 말을 한다.

"보통은 불가능하지만 너는 가능해. 이 생체기관…… 그러니까 대기, 혹은 대해라 부를 수 있는 이건…… 절대 보통이 아니니까."

흑요는 24시간 내내 내 곁에 붙어 내 무공을 손봐 주었다.

그녀는 절대 고수 중에서도 극에 이른 존재.

그녀의 말 한 마디, 보조 잠깐이 초월지경 치고는 부실한 내 무공에 살을 입혀 나간다.

도움을 주는 건 그녀뿐이 아니다.

"차크라 술식을 만들어 왔어! 지금 전투법을 들어 보니까 차크라를 거의 안 쓰더라고. 무공하고 동시 개방을 해서……."

"마법을 받아들이는 데 특화한 요소는 어떨까요? 이게 될지 모르는데 우리가 보조한다면……."

오룡이들과의 사이가 점점 깊어진다. 그 전에도 그랬지만 일 때문에, 용병 출장 때문에 얼굴도 보기 힘들던 지금까지와 달리 24시간 내내 계속 붙어 있으니 당연한 일이다.

"로그인."

[죽음의 면역자. 피의 인도자 앞에서 예를 취하라! 내가 바로 드라클리아니라!]

"로그아웃."

"변신을 해 보자! 지금 네 생체력의 용량이 꽤 남아돌아. 아니 남아도는 정도가 아니라 대기 말고는 적용된 진화가 거의 없잖아? 전투 형태를 지정해 완성시키면……."

"로그인."

[훌륭한 후손들이군…… 만나서 반갑다. 내 이름은 샤인라이트.]

"로그아웃."

일주일이 지난다. 열흘이, 보름이 지난다.

[……왔나?]

아르데니아에서 나는 마침내 죽음의 신전을 관통해 최심부에 도달해 아르데니아 최강의 몬스터인 망령룡 레플리를 만났고.

지구에서의 나는.

[오래 기다리셨습니다! 다가오는 리벤지 서비스 15주년! 마침내 그 업데이트가 예정되었다고 하죠?]

[네, 그렇습니다! 완전 가상현실로 유명한 리벤지가 마침내 선보이는 새로운 세상! 세컨드 라이프(Second Life)!]

[그뿐이 아니죠! 세컨드 라이프. 그러니까 리벤지 파트 2가 실행되며 대규모 업데이트 또한 진행되게 되는데요!]

[오! 설마 그건가요?]

[네! 바로 그겁니다!]

지구의 나는 조용히 디스플레이를 보았다.

"이걸, 참 공교로운 타이밍이라고 해야 하나."

화면 속의 미녀 리포터와 MC가 우렁차게 외친다.

[한 차원 다른 격! 우주적인 강자로 거듭나는 존재!]

[여러분께 소개합니다! 리벤지의 처음이자 마지막일지 모르는, 유일의 황제 클래스!]

[올 마스터(All master)입니다!]

* * *

솔직히 일반인에게 리벤지는 그리 훌륭한 게임은 아니다.

'사실…… 그래. 사실 그 정도가 아니지.'

리벤지는 쓰레기 같은 게임이다.

리벤지라는 게임이 만듦새가 부족해서, 버그가 많고 운영이 방만하기 때문이 아니다.

그런 면에서 보면 리벤지는 오히려 괜찮은 게임에 속하겠지. 리벤지는 기술이 발전한 34지구에서도 가장 훌륭한 그래픽을 자랑하고 끊임없는 패치로 혹시나 생기는 버그조차 순식간에 잡아 버리니깐.

문제는 따로 있다.

'게임의 방향성.'

리벤지는 모든 유저를 위한 게임이 아니다. 무과금으로 게임을 한 달 정도만 해 봐도 그 사실을 정말 뼈저리게 느낄 수 있다.

아무리 게임을 열심히, 또 잘해 봐야 과금한 유저들 앞에서는 주인공의 칼질 한 번에 추풍낙엽처럼 쓸려 나가는 엑스트라 1에 불과한 존재가 되기 때문이다.

그렇다고 과금한 유저라고 마냥 재미있게 게임하는가?

아니다. 그들도 더 많이 과금한 유저에게 짓밟힌다.

'어떻게 생각하면…… 너무나 현실적이지.'

모든 것이 경쟁이다. 그저 '재미'를 노리고 맨몸으로 이 게임에 들어온다면 재미는커녕 짓밟히고 무시당하는 더러운 경험만 하게 될 것이다.

그 과정이 너무나 억울하고 분하다면?

돈을 쓰면 된다.

"만나서 반갑습니다, 여러분! 일일 MC이자 네메시스의 가족! 우주 최강 미남 이성재입니다!"

무대에 올라 활기차게 외치는 성재의 모습을 잠시 보다 그대로 시선을 돌려 주변을 살핀다.

연회장은 너무나 고급스러워서 이게 유저 간담회 겸 업데이트 발표회라는 사실을 믿을 수 없을 정도다.

테이블 위에 올라와 있는 간식은 관련 영능을 수련한 최고 등급의 파티시에가 값비싼 재료와 시간을 투자해 만든 최고급품이고, 영물의 가죽으로 만든 소파, 세계수 원목으로 만든 테이블은 돈만으로는 구할 수 없는 명품들.

안전은 어떤가? 건물에 깔려 있는 궁극 주문이 대체 몇 개인지 초월지경인 내 감각으로도 세다가 포기할 지경이었다.

앉아 있는 면면도 예사롭지 않다.

'기업 대표, 우주 용병, 고위 공무원, 재벌 자제, 탑 클래스의 연예인들까지.'

이곳의 분위기만 봐도 리벤지가 일반적인 게임이 아니라는 것을 알 수 있으리라.

'그래. 벌기는 진짜 엄청 벌었지.'

리벤지는 [많은] 유저에게 조금씩 수익을 벌어들이는 회사가 아니다. 소수의 유저에게 [많은] 수익을 벌어들이는 회사지.

그리고 그 수익은 기본적으로 유저 간의 갈등에서 나온다.

리벤지는 끊임없이 유저들을 싸움 붙이고, 이는 그들에게 만성적인 결핍을 만든다.

경쟁이 붙은 유저들은 자존심 때문에라도 선을 넘어서는 과금을 하게 되니…… 네메시스가 벌어들이는 수익은 그야말로 상상을 초월하게 되는 것!

'솔직히 양아치 짓이긴 하지.'

리벤지의 과금은 졸업이라는 게 없었다. 1억이 있으면 1억이 들어가고 100억이 있어도 100억이 들어가는 미친 과금.

유저의 등골을 뽑아 먹는 만큼 게임의 이미지가 안 좋아진다는 단점이 있기는 하지만 그렇다 해도 이것은 너무나 매력적인 사업이다.

투자한 돈보다 훨씬 많은 돈을 벌어들이는…… 너무나 [편한] 길.

당연하지만 리벤지를 따라하는 과금 게임들이 우후죽순 생겨났다.

게임 마스터가 있기에 나타난, 34지구 특유의 게임을 신성시하는 기조조차 결국 그 흐름을 막지 못했다.

세상 그 어떤 것도 '편히 많이 버는' 길에 대한 욕망을 막을 수는 없었다.

"작년도 영업 이익은…… 와! 743퍼센트나 증가했군요! 네메시스가 그 엄청난 이익으로 뭘 했는지도 확인해 볼까요?"

무대 위에서 간담회를 진행하고 있는 성재를 보며 생각한다.

'일반적으로…… 네메시스는 크게 고꾸라졌어야 정상이다. 아니면 크게 한탕하고 빠졌던가.'

고유의 게임성이 아닌 매운 맛 과금으로 돈을 버는 이상 당연한 흐름이다.

아무리 개돼지 취급을 해도 고객은 결국 인간.

끝도 없이 뽑아내는 과금 게임 앞에서 끊임없이 지갑을 열어 줄 정도로 사람들은 바보가 아니다.

무엇보다 비즈니스 모델은 누구나 따라 할 수 있는 것이니 떨어지는 평판과 따라잡는 후발 주자들의 존재를 생각해 보면 네메시스는 결국 망할 수밖에 없다.

네메시스가 정상적인, 그러니까 '수익'을 위한 회사였으면 그랬을 거란 말이다.

'하지만 네메시스는 달랐지.'

네메시스는 벌어들인 돈을 90% 이상 재투자했고, 직원들 보너스는 줘도 대표가 추가적으로 가져가는 돈이 없다시피 했다.

'그 정도가 아니라 자기 사재(私財)를 털어 넣었지.'

나는 그녀와 많은 이야기를 했고, 스카이 소프트의 공격을 막기 위해 친구처럼 지내던 인급 기가스를 판매했다는 이야기도 들었다.

나는 안다.

배사랑이라고 하는 인간은…… 리벤지라는 게임에 한없이 진지하다.

유저들은 돈에 미친 게임이라고 욕하지만, 그녀에게 있어 수익은 단지 수단에 불과했다.

"그럼 소개하겠습니다! 초현실 연구소의 연구소장! 존 스미스 씨입니다!"

사랑은 끊임없이 네메시스를 개혁하고 리벤지에 새로운 시스템을 추가했다.

당연하지만 훌륭한 게임을 만들기 위해서는 아니다.

'그러기에는 너무 멀리 왔지.'

이제 와 리벤지를 흔히 말하는 갓겜으로 만드는 건 불가능한 일이다. 세상에는 리벤지보다 더 재미있고 훌륭한 게임들이 너무나 많으니까.

때문에 그녀는 벌어들이는 모든 수익을 기술 개발에 투

자했다.

그녀는 리벤지를 갓겜의 틀에 맞추는 대신, 그 어떤 게임도 따라잡지 못하는 독자적인 영역으로 끌어올리기로 한 것이다.

단순한 게임(Game)이 아닌.

새로운 삶(Second Life)으로.

"저희 초현실 연구소는 3개의 특허를 신청했고 대우주 학술 기관 우로보로스는 물론이고…… 연합에까지 그것을 인정받았습니다."

"아니…… 특허가 3개라고? 그것도 연합에 인정까지 받은?"

"말이 안 되잖아. 과학 4문명인 캔덜러 성인들이 있는데……."

"드래곤이 포함된 연합한테 인정받았다는 건 특허 내용이 마도 4문명에도 없던 기술이란 말 아닌가?"

사람들이 술렁거린다. 물론 34지구에는 연합에서도 인정받는 고유의 기술과, 연합에서 탐내지만 얻지 못하는 기술들이 존재한다.

그러나 최상급신 게임 마스터가 거주하는 강철계나 국가 기관도 아니고 고작 게임 회사에서 우주급 특허라니?

웅성거리는 반응에, 네메시스 소프트를 대표해 무대에 올라온 초현실 연구소의 연구소장 존 스미스가 자신 있게 말한다.

"관련 자료를 배포해 드리겠습니다. 확인하시며 이야기를 들어 주십시오."

"야옹."

내 옆에 얌전히 앉아 있던 체다가 조용히 울었다.

나는 리벤지 자동 사냥 창을 등 쪽으로 넘기고 문서를 확인했다.

[완전 가상 현실]

[러브식 마나 뱅크]

[아스트랄 네트워크]

'흠…… 서비스 영역을 늘리려 하는 건가.'

간추린 논문을 읽는 동안에도 간담회는 진행된다. 연구소장이 들어가고 다시 성재가 나온다.

"그리고 기다리고 기다리시던 대규모 업데이트가 드디어 진행된다고 합니다. 베일에 싸여 있던 신대륙! 새로운 성과 새로운 적들이 여러분을 기다릴 텐데요! 그보다 더 관심 가는 부분이 있겠죠?"

씩 웃으며 성재가 소리친다.

"유일한 황제 클래스! 올 마스터입니다!"

말과 함께 거대한 디스플레이에 클래스 정보가 드러난다.

[올 마스터(황제)]

모든 스텟 +60.

모든 속도 100퍼센트 증가.

모든 속성 데미지 100퍼센트 증가.

모든 스킬 보정 100% 증가.

[황제(皇帝)]

[올 마스터(All master)]

"생각보다 클래스 설명은 심플하군……."

나는 단 두 개밖에 없는 특성 중 첫 번째를 확인했다.

[황제]

우주적 존재, 중급의 초월자입니다.

세계의 이치를 깨닫고 모든 종, 모든 존재의 한계를 깨부쉈습니다.

초월경(超越境)특성을 포함.

한계 스텟(999) 해제.

권능 스텟(1,000)부터는 소모 스텟 포인트 점진적으로 증가.

[초월경] 특성의 강화판이다. 강력한 성능을 가지고 있지만 그래 봐야 이미 짐작하고 있던 효과들.

문제는 그다음이다.

[올 마스터(All master)]

'모든' 패시브, 액티브 스킬 습득&사용 가능.

'모든' 아이템 장착 가능.

소유하고 있는 '클래스 특성' 중 '6개' 지정 장착 가능.

'클래스 스킬' 중 '6개' 지정 장착 가능.

"아니 미친……."

사실 여기에 올 때 어느 정도 각오하고 있었다. 그 어떤 사기 스킬, 그 어떤 사기 특성이 나오더라도 겸허히 받아들이겠노라고.

그것도 그럴 것이, 무려 황제 클래스 아닌가?

중급 초월자라는 건 [문명]이 정복하지 못한 존재다. 상위 기가스나 우주 전함을 다수 끌고 가면 다소 피해를 입을 수는 있어도 결국 정리가 가능한 하급 초월자와 달리…… 우주 문명이 달려들어도 해결이 불가능한 괴물.

문명이 발달해 우주를 누비는 문명이 단번에 '민주주의'를 포기하고 '황제'로 받들어야 하는 존재.

하지만 아무리 그래도 그렇지.

"맙소사. 이게 뭐야……?"

"아니, 이거 밸런스 파괴 아닌가? 현존하는 신화 플레이어 다 덤벼도 못 이기는 거 아냐?"

"아니, 뭐 황제 클래스면 하급 초월자 열댓 명으로는 못 이기는 게 정상이긴 한데."

여유롭게 발표를 듣고 있던 플레이어들이 술렁인다.

지금 이 자리에 있는 사람들은 죄다 상위 랭커에 머리가 잘 굴러 가는 이들이니 황제급 특성, [올 마스터]의 무시무시함을 눈치채기 어렵지 않았다.

"아니, 잠깐. [대자연의 주인] 특성하고 [차원 표류자] 특성을 같이 고르면 어떻게 되는 거야? 이거 좀 말이 안 되는 거 아닌가?"

"신검제(神劍帝) 특성하고 신검합일(身劍合一)은? 심지어 공허존자의 포식검(捕食劍) 특성까지 같이 고를 수 있으면……."

"이래도 되나? 지금 앉아서 대충 생각해도 말이 안 되는 조합이 네댓 개는 떠오르는데……."

왜 직업들이 서로 분리가 되어 있는가?

당연히 클래스간의 개성과 밸런스 때문이다. 별것 아닌 거로 보이는 하찮은 특성도 서로 만날 수 없었던 다른 직업의 특성과 더해지면 미쳐 날뛰는 특성으로 변모할 수 있다.

'그런데 랜덤도 아니고 선택이라니…….'

문제는 그뿐이 아니다.

'모든 스킬 습득 가능 능력도 제정신이 아니다.'

액티브는 상관없다. 이러니저러니 해도 동시에 쓸 수 있는 스킬에는 한계가 있을 테니까.

그러나 패시브는 다르다.

모든 클래스는 패시브를 가지고 있다. 전사 클래스라면 근력이, 도적 클래스라면 민첩이, 마법사 클래스라면 마력이 오르는 직업 스킬을 가지고 있겠지.

이는 클래스간의 개성을 구분하는 일종의 장치이기도 하다. 보너스 스텟이야 자유롭게 찍을 수 있지만 결국 다 비슷한 트리로 캐릭터를 성장시키게 되는 데에는 이런 패시브 스킬 때문인 것.

그런데 그걸 다 익혀 버린다면…….

'농담이 아니야. 모든 스텟이 899나…… 어쩌면 999가 되어 버릴지 모른다.'

기가 막히는 현실에 헛웃음 짓다가 주위를 둘러본다. 그리고 마찬가지로 주위를 둘러보던 다른 플레이어들과 눈이 마주친다.

나도, 그들도 같은 사실을 깨달았다.

'지금의 세력이 어떻건 전투력이 어떻건…… 황제 클래스를 얻는 순간 모든 판도가 뒤바뀐다.'

"들어 주셔서 감사합니다! 지금까지 일일 MC이자 우주 최강 미남! 이성재였습니다!"

박수 소리를 뒤로하고 집으로 돌아온다.

"잘 다녀왔어요?"

무대 의상을 입고 있는 플라워가 환히 웃으며 나를 반긴다. 아무래도 오늘 저녁에 콘서트가 있던 모양이다.

"응, 플라워는?"

"잘 끝났어요. 기분이 좀 좋아지신 모양이네요?"

"아, 뭐 그렇지."

아무래도 오룡이들이 내 눈치를 보고 있던 모양이다. 한동안 전력을 다한 내 [수련]이 실패로 돌아갔다고 알고 있기 때문이다.

'정확히 말하면 아직 실패는 아니지만.'

나는 옷을 갈아입고 훈련장으로 향했다.

그리고 치유실 앞에 앉아 조용히 중얼거렸다.

"로그인."

아르데니아로 들어간다.

[지금, 지금 갔다 온 거 같은데?]

[그렇군. 확실히 시간축이 뒤틀리는 게 느껴진다.]

[놀랍네요. 이것이 그 '주인공'이 가진 힘이라는 걸까요?]

[이놈이라도 붙잡아서 다행이야. 한 놈은 정체가 뭔지 찾을 방법이 없고 한 놈은 너무 약해서 얼굴도 보기 힘들었는데.]

[애초에 12명 중 9명이 죽었다는 것부터가 문제였지.]

[이래서야 어머님의 바람을 잘 이뤄 낼 수 있을지…….]

내 앞에 옹기종기 모인 몬스터들이 대화를 나눈다. 개중 덩치가 큰 녀석들도 그리 멀지 않은 거리에서 나를 내려다보고 있다.

몰려오는 짜증에 입을 열었다.

'아, 다시 생각해 봐도 어이가 없군.'

나는 12마리의 초월급 몬스터를 보며 이를 갈았다.

'설마 혼자 못 막는다고…… 12마리가 다 여기에 모이다니.'

가급적 빨리 올 마스터가 되어야 한다고 생각하며.

나는 레플리를 만났을 때를 떠올렸다.

* * *

원래 대로라면 던전 클리어는 순조로웠을 터다.

스페셜 보스 레플리는 초월적인 강자지만…… 원래 강함이란 상대적. 나 혼자 일대일로 상대해도 이길 수 있는 상황인데 녀석을 지켜야 할 사천왕까지 유인해 쓰러트렸으니 어찌 공략이 실패할 수 있겠는가?

솔직히 플레이어들의 보조조차 필요 없는 상황이었다.

[함정 카드 발동 : 영혼의 절규.]

……그래. 분명 그랬을 터다.

보스룸에 들어가는 순간 낭랑한 목소리가 들리지 않았다면 말이다.

"영혼의 절규를 사용! 영혼의 절규가 발동되면 9레벨

미만의 공격력을 가진 모든 카드는 상대방의 덱으로 복귀한다!"

너무나 차분하게. 마치 웅변을 하듯 지껄인다. 그리고 그와 동시에.

"헛!?"

"무슨……!"

"이런! 황제 폐……."

팟!

내 뒤를 따르던 수백 명의 플레이어가 단번에 사라졌다. 그들도 온갖 방어 주문과 스킬, 아이템 등을 사용하고 있었지만 소용없었다.

"로그아웃."

즉시 아르데니아를 빠져나와 생각한다.

'어째서?'

정체불명의 공격에 당한 게 아니었다. 아니, 오히려 너무나 명확히 정체를 알고 있는 공격.

문제는 그게 여기서 나오면 안 된다는 사실이었다.

"재연 씨? 무슨 문제라도 있나요?"

플라워의 물음에 어색하게 웃는다.

"아냐. 그냥 뭐가 좀 막혀서…… 흑요 좀 불러 줄래?"

"왔다."

뭔가 더 할 것도 없이 흑요가 내 옆으로 다가와 앉는다. 그리고 묻지도 않고 내 몸에 진기를 흘려 넣었다.

양으로 치면 나보다 그리 많지도 않은 수준이지만…… 질에서는 비교조차 안 되는 그녀의 진기가 대해를 자극한다.

'일격에…… 쳐 내야 한다.'

"로그인."

[천검-관월아(貫月牙)]&[천지를 가르는 검]

대기만성(大器晩成). 파천극광(破天克光).

빛의 속도로 내지른다.

회피하기에는 너무나 빠르고 막아 내기에는 너무나 무거운 파괴의 일격!

그러나.

콰득-! 쩡!

내 일격은 막히고 말았다.

"아니, 이게 무슨……."

[놀랍구려. 인간이여. 설마 일격에 내 결계를 뚫어 버릴 줄은 몰랐소이다.]

[단순한 검격…… 하지만 끔찍하게 빠르고 무겁군. 게다가 들고 있는 그 검은 나를 죽이고 얻은 거겠지?]

푸른 머리칼과 그걸 헤집고 솟아오른 기다란 사슴뿔의 여인과 마검왕 히페리온이 내 앞을 막아섰다.

내 일격을 막아 낸 그들의 안색은 창백했지만…… 추가

적인 공격으로 그들을 죽여 버리는 건 어려운 일이다.

왜냐하면 적은 그 둘로 끝이 아니었기 때문이다.

"대체 뭐냐 너희들…… 어째서 다 여기에 있는 거지?"

그들은 명백하게 리벤지의 존재가 아니다. 다크 스타의 다크 메시아, 블레이드&매직의 마검왕, 가장 어두운 절망의 쉡곤, 검은 영혼의 딥 아이 등등.

개중에는 처음 보는 얼굴들도 있었지만 그 정체를 눈치채기는 어렵지 않다.

그들 모두가 레플리와 동급의 힘을 가진 12명의 초월급 몬스터였기 때문이다.

예전에 만났던 게임 마스터와의 기억이 상기된다.

"12명이야."

"내가 누군지 잊은 거 아니냐? 간섭은 못해도 게임 관련인데 당연히 알 수 있지. 다만…… 생존자는 너를 포함해서 셋."

'이런 제길…… 12개 게임의 보스 전부가 여기에 있다고?'

[이제야 좀 얌전해졌구나.]

12마리의 초월급 몬스터들이 조금의 방심도 없이 나를 포위한다. 하나하나는 내 상대가 안 되지만 두셋만 모여도 죽이는 데 시간이 걸리고 넷이 넘으면 승산을 가늠하기 힘든 신화급의 괴물들.

어찌할 수 없는 상황이 되자 머리가 굴러 가기 시작한다.

“……왜 나를 죽이지 않았지?”

스페셜 보스 12마리면 원래도 이기기 힘든 상대지만…… 그보다 위험했던 것은 녀석들이 ‘준비’하고 나를 기다리고 있던 상황 자체다.

‘특히나 다크 메시아.’

카드 게임 기반의 다크 스타는 소수의 강자에게 너무나 위험한 능력이다. 왜냐하면 수집용 카드 게임에는 대상을 [지정]해 죽이는 효과를 가진 카드가 너무 많기 때문이다.

내가 보스룸에 들어왔을 때 그 많은 주문 카드 중 하나를 사용했다면?

나는 그냥 죽고 말았을 것이다.

‘물론 부활했겠지만…….’

[이 상황에도 차분하군. 하기야 너 정도의 강자라면 그럴 수 있지.]

[뭐, 우리가 너한테 바라는 건 그리 크지 않다. 그저.]

초월급 몬스터들이 말한다.

[여기에 있어 줘야겠다.]

씩. 웃는 표정들이 묘하게 친절하다.

[가능하다면 영원히.]

* * *

“후…….”

회상을 마치고 눈을 뜬다. 여전히 12마리의 신화급 몬스터들이 있다.

'이것들은 자리를 비우지도 않는군…….'

죽음의 신전을 통해 들어온 보스룸은 '룸'이라는 단어가 무색할 정도의 규모를 가지고 있다.

초대형 몬스터인 망령룡 레플리가 심지어 비행 페이즈까지 진행할 수 있을 정도의 공간이니 더 말할 필요도 없겠지.

나는 인벤토리에서 귀환 스크롤을 꺼내 찢어 보았다.

[절대 명령. '아이템 사용 금지'가 적용 중입니다.]

'역시…… 시간이 지난다고 풀리는 종류가 아니군.'

한숨 쉬며 입을 연다.

"이봐."

[오. 이제 좀 대화할 생각이 드는 거요? 그나저나 외부 차원에는 얼마나 있다 온 건지 궁금하구려. 일주일? 한 달?]

사슴뿔을 가진 청발의 여인이 헤실헤실 웃으며 내 앞으로 다가왔다.

물론 완전히 붙지는 않는다.

쩌저적!

여인의 주변에 살벌한 냉기를 뿌리는 방벽이 생성된

다. 거리도 3미터가 넘고 그녀의 뒤에는 망령룡 레플리가 머리를 늘어트리고 있다.

"……조금만 더 가까이에서 대화하면 안 될까?"

[그럴 수는 없소. 그 무시무시한 검격으로 내 목을 자르려 할 것이 아니오?]

"……."

이 망할 몬스터 놈들은 12마리나 되는 주제에 방심도 하지 않는다. 내가 무리를 해서 하나를 조지려 들면, 나머지 11마리가 다 나서서라도 그것을 막았다.

짜증 나는 일이지만, 동시에 기묘한 일이기도 했다.

'현실에 나온 몬스터들하고는 전혀 다른 패턴이군.'

문득 드는 호기심에 묻는다.

"왜 이렇게 목숨을 아끼지? 어차피 리젠되지 않나?"

내 물음에 청발의 여인이 말했다.

[아, 부활 말이군. 물론 가능하지. 하지만…… 그렇게 살아난 게 과연 '나'라고 할 수 있을지에 대한 문제가 있소.]

"……."

별로 관심 가지지는 않았지만…… 당연히 알고 있던 문제다.

나는 수없이 많은 몬스터와 싸워 왔고 당연히 죽였던 녀석을 몇 번이고 또 죽이는 경우도 많았다.

그리고 그러다 보면 자연스럽게 깨닫는다.

'매번 뭔가 묘하게 달라지지.'

기본적인 캐릭터 서사는 똑같다. 예를 들어오크 로드가 있다고 치면 그놈은 언제나 오크족의 지배자이자 누구누구의 몇째 아들이라는 설정을 들고 나오는 것이다.

사용하는 검술도 똑같고 스텟도 똑같다.

그러나…… 매번 말투가 다르다.

좀 더 정확하게 말하자면 성격이 다르다. 더 저돌적이기도 하고 신중하기도 하다. 심지어 겁쟁이일 때도 있다.

"……너희는 대체 뭐지?"

결국 물을 수밖에 없다.

"대체 원하는 게 뭐야? 뭘 위해서 이 세상을 침범하고 있지?"

몬스터 사태로 발생하고 있는 피해는 천문학적이라는 말로도 표현이 불가능할 정도다. 34지구처럼 별 피해가 없는 문명은 우주에서도 몇 안 된다.

하위 문명은 하위 문명대로, 우주 문명은 우주 문명대로 엄청난 피해들을 입고 있다.

[말하자면…… 약탈이오.]

"……약탈?"

[그렇소. 어머님께서 필요로 하시는 걸 그대들이 가지고 있으니까.]

"그게 뭐지?"

[어머니가 누구인지는 묻지 않으시는구려?]

청발 여인이 씩 웃는다. 다 눈치 챘다는 얼굴이지만 나는 눈 하나 깜빡하지 않았다.

"누구긴 누구겠어 표절로 만든 세상과 너희들의 주인이겠지."

[…….]

"……."

가만히 서로를 바라본다. 나는 생각했다.

'자꾸 떠보는군. 이 자식들…….'

이 녀석들은 내가 죽기를 원하지 않는다. 속으로는 내 팔다리를 잘라서라도 봉인하고 싶은 모양이지만…… 아무리 녀석들이 12마리라 해도 나를 [생포]하는 건 불가능하다.

지치게 만들어 힘을 뺀다면 모르지만 나는 로그인, 로그아웃이 가능한 존재가 아닌가?

'심지어 이 녀석들…… 로그인, 로그아웃을 인지하고 있단 말이지.'

생각에 잠겼을 때였다.

[건- 방--- 지군----!]

폭풍과도 같은 포효가 머리를 울린다. 당연히 물리적인 소리는 아니고 강력한 영언.

나는 고개를 돌려 고함을 지른 쉠곤을 바라보았다.

"말도 할 줄 아는군."

[말은 원래 할 줄 안다. 열등한 너희가 이해하지 못했

을 뿐이지.]

"오, 그 열등한 놈들한테 툭하면 맞아 죽던 분이 할 이야기인가?"

[네 세상에서의 일인가? 비겁하게 숫자로 몰아붙였겠지!]

"뭐하면 확인해 보든지."

자리에서 일어나자 쉠곤 역시 콧김을 뿜으며 다가온다.

그러나 결투가 성사되는 일은 없었다.

[그만.]

[경솔한 짓하지 마세요.]

[쯔쯔…… 저런 얕은 수에 낚이시면 어떻게 합니까?]

대번에 다른 스페셜 보스들이 나서 쉠곤을 타박한다. 쉠곤은 발끈하는 모양이었지만 동급의 존재 11명의 뜻을 거부하지는 못했다.

나는 그를 비웃었다.

"쫄보."

[감---- 히---!]

우르릉. 하는 소리와 함께 바닥에서 바닷물이 차오른다. 멍청해 보이지만, 아니 실제로 멍청하다 해도 녀석은 초월의 경지에 이른 괴물.

그러나 녀석의 분노는 금세 가라앉는다.

-축복하는 자께서 말씀하시길. 눈부신 태양 아래 모든

것이 평화로웠노라.

강대한 언령과 함께 차오르던 바닷물이 온데간데없이 사라진다. 뿐만 아니라 내 마음 깊은 곳에서부터 투쟁심이 급격하게 사그라지는 게 느껴진다.

'아, 저놈은 또 뭐야.'

나는 가부좌를 취한 채 앉아 있는, 붉은색의 안대로 눈을 가린 사내를 바라보았다. 당연하지만 모르는 녀석이다.

'하긴 모든 게임의 정체가 밝혀지지 않았으니.'

게임 마스터 대하는 9명이 죽었을 뿐 최초에는 12명의 플레이어가 존재했다고 말했다.

즉, 게임도 12개라는 말이지만 현재까지 정체가 알려진 게임은 7종뿐이다.

개인이 만든 게임이 알려지기도 전에 스러졌던가, 몬스터 사태로 멸망한 문명의 게임들일 것이다.

이런 게임들은 당연히 문제가 되는데, 공략을 위한 정보를 수집하기가 너무나 어렵다는 것이다.

"……로그아웃."

지구로 돌아온다.

"하."

절로 한숨이 나온다. 역시나 아르데니아에서는 상황을 해결하기 어렵다.

"잘 안 됐어?"

내 품에 안겨 있던 루비가 걱정 가득한 목소리로 묻는다. 그녀의 큰 눈동자가 그렁그렁하다.

"……그러게. 잘 안 되네."

"우웅. 그럼 우리 14박 15일 못 가는 거야? 기대 많이 했는데……."

칭얼거리는 그녀의 목소리에 깊이 한숨 쉰다.

솔직히 말하면 그냥 가는 게 맞다. 돌발 상황이 생겼을 뿐 그녀들이 나를 위해 애써 준 건 틀림없는 사실이기 때문이다.

그러나 그렇게 태평한 상황이 아니다.

삑!

디스플레이를 켠다. 뉴스가 나오고 있다.

[연합에서 초월급이라 불리는 몬스터의 등장 빈도가 30% 이상 증가했다는 통계 자료를 발표했습니다. 점점 거세지는 외계의 침략으로 인한 피해가 끝도 없이 커져 가는 가운데……]

[레온하르트 제국의 성현 행성이 폐쇄 수순에 들어섰습니다. 성현 행성은 성현 백작령의 중심으로 30억 명이 넘던 인구가 거주하던……]

[우주 비행이 가능한 초월급 몬스터들의 습격으로 전투 능력이 떨어지는 상선들의 피해가……]

내심 한숨이 나온다.

저 우주적인 재앙의 원인이…… 손에 잡힐 듯 뻔히 예상됐기 때문이다.

신화급 필드, 천원(天元)에서 전투를 벌이게 되면 그 시간만큼 초월급 몬스터의 리젠이 [밀리게] 된다.

실제로 내가 천원을 왔다 갔다 하며, 아르데니아에서 10년의 시간을 보냈을 때 34지구에만 무려 11마리의 신화급 몬스터가 쳐들어왔다.

비록 3분 만에 몰살당했지만, 이는 34지구가 비정상적인 전력을 가지고 있어 가능했던 것이지 보통은 감당하기 힘든 전력이다. 평범한 문명이었다면, 설사 그곳이 우주 문명에 들어선 해도 괴멸적인 타격을 입었을 것이다.

심지어 34지구조차 아무 피해가 없던 건 아니다. 고작 3분 만에 무려 수천 명이 죽었으니까.

'그런데…… 꼭 아르데니아에 있어야 신화급이 나오는 건 아니란 말이지.'

만약 그렇지 않다면 몬스터들이 나를 붙잡아 둘 이유가 없다. 최악의 상황이 되면 로그아웃 한 후 다시는 접속하지 않으면 그만인데 잡아 두는 데 무슨 의미가 있겠는가?

어째선지 녀석들이 로그인, 로그아웃을 인식할 수 있기까지 한 이상 이 예상이 틀릴 가능성은 거의 없다.

"하아."

절로 한숨이 나온다. 시간을 끌어서 해결될 문제가 아니기 때문이다.

가급적 빨리 천원을 정복하거나…… 그게 불가능하다면 탈출이라도 해야 한다.

"재연아?"

"아, 미안, 루비. 수련이 잘 안 풀려서."

"원래 수련은 잘 안 풀리는 거야! 흐음. 영약 먹을래?"

"하하, 이미 많이 먹었어."

초월자가 12명, 멀린에게 선물 받았던 버그 아이템 같은 걸 먹지 않는 이상 상황을 이겨 내기 힘들다.

문제는 두 가지다.

[규약 : 임전무퇴]

[절대 명령 : 아이템 사용 금지]

저 망할 두 가지 능력 때문에 자리에서 도망갈 수가 없다. 숫자에서 밀려서 싸우기도 힘들다.

시간을 두고 조금씩 피해를 누적시킨다는 선택지도 없다.

저 망할 놈들 중 반 이상이 회복 능력을 가지고 있기 때문이다.

초월급 몬스터 12마리가 레이드 뛰듯 나를 몰아붙이는 판에 한 놈을 잘라 내는 것도 불가능에 가깝다.

'그래 결국 답은 올마스터뿐이군.'

나는 한동안 로그인을 자제하곤 다시 일을 시작했다.

그리고 그렇게 보름이 지나자, 리벤지 홈페이지에 새로운 공지 사항이 올라왔다.

[차원의 바다를 건너 만나게 된 새로운 세상은?]

[신규 대륙 : 인피니티.]

"신대륙이 열렸군……."

차분히 공지 사항을 읽는다. 새로운 대륙이 열리고 그 안에 새로운 착점들도 생겨난다.

기존의 대륙과 비교할 수도 없이 거대한 대륙. [인피니티]는 수천 개도 넘는 착점을 가지고 있으며…… 지금까지와 차원이 다른 난이도를 가지고 있다고 한다.

이것이 뜻하는 바는 명확하다.

"황제급 유저가 필요한 상황을 만든다 이 말이지……."

하기야 그냥 덩그러니 황제급 존재를 만들 수는 없을 것이다. 그런 식으로 만들면 그 황제 클래스가 다른 플레이어들을 조지기밖에 더 하겠는가?

다만 월드를 이렇게 늘리면 그 안에 뭘 채우느냐가 문제다. 리벤지는 수익에 비해 플레이어가 부족한 게임이기 때문이다.

'뭐, 내가 알 바는 아니고.'

나는 다음 공지 사항을 확인했다.

[최고의 강자만이 모두의 위에 우뚝 설 것이다.]
[천하통일(天下統一).]

"음?"
평소와 같이 유저들을 싸움 붙이는 내용에 눈을 가늘게 뜬다.
'얼른 신규 클래스나 보여 줄 것이지…….'
그러나 바로 그것이 올마스터에 관한 이야기였다.

[천하통일(天下統一).]
차원의 문이 열리고 새로운 대륙이 모습을 드러냈습니다.
그러나 이것은 단순한 기회가 아닌 위기!
강대한 외계(外界)의 괴물과 적들에 맞서 싸우기 위해 모두를 이끌 위대한 황제가 필요합니다!
9개의 화점 중 과반수의 화점을 차지하는 자. 황제가 되어 대륙을 이끌 것입니다.

[황제급 클래스, 올마스터!]
가장 완벽한 인간. 가장 완전한 객체. 인간의 몸으로 물질계의 대표가 된 존재.

그가 바로 인간 중의 신, 인중신(人中神)이라.

세계의 지배자여, 인중신이 되어 아르데니아 대륙을 수호하십시오.

"아…… 아?"

리벤지의 지금까지의 성향을 생각하면 믿을 수 없게도…… 황제 클래스는 과금팩으로 나오지 않았다.

"당연히 1,000억 정도 들어가는 과금 상품일 거라고 생각했는데……."

그러나 리벤지는 값비싼 과금 상품을 추가하는 대신 기존에 존재하던 요소들로 황제 클래스를 획득할 수 있도록 만들었다.

물론 그게 쉽다는 말은 아니다.

"와…… 이거."

[9개의 화점 중 과반수의 화점을 차지하는 자.]

말이야 간단하다. 한 명이 5개의 화점을 정복해야 한다는 것.

"이게 가능한 일인가?"

신화 클래스의 근간이자 힘과 세력의 상징인 화점의 성주들은 그야말로 리벤지의 지배자라 할 수 있는 존재들이다.

신화 클래스, 펫, 수호령을 가지고 있고 거의 모든 컬렉션을 완성했다. 신화급 장비를 착용하고 스킬들을 익히고 있으며.

무엇보다 화점을 차지할 정도의 [길드]를 가진 자들.

당연하지만 리벤지 안에서 그들을 힘으로 [설득]하는 건 불가능에 가깝다. 만약 그럴 수 있으면 벌써 옛날에 화점을 빼앗겼겠지.

"흐음…… 현실에서 협상을 한다면?"

나는 체다의 배를 바라보았다.

마침 관련 채팅이 올라오고 있다. 지금 이 주제가 리벤지 최고의 화제일 테니 당연한 일이다.

무엇보다 우리 아레스 길드는 리벤지 랭킹 3위에 빛나는 최상위 길드니까.

↳지존법사 : 길마님! 업데이트 봤어요! 올마스터 가시나요?

↳아레스(길드 마스터) : 그게 가능하겠나? 화점 주인들이 어떤 사람인데…… 아니 이거?

↳지존법사 : 왜 그러세요?

↳아레스(길드 마스터) : 채널 원 대표가 길드 통합을 하지 않겠냐고 제의하는군. 길드 통합 후 임원 자리를 맡아 주면 300억대의 계약을 따 주겠다고.

↳우주최강미남(귓속말) : 와. 300억이요?

↳지존법사 : 히익 300억. 올마스터에 얼마나 진심인거야?

길드 채팅창이 술렁인다. 느닷없이 튀어나온 천문학적인 금액에 다들 놀란 모양.

그러나 아레스 길드의 길드 마스터. 아레스의 반응은 전혀 다르다.

↳아레스(길드 마스터) : 허, 허허. 허허허.

↳아레스(길드 마스터) : 허허 이것 참. 열심히 산 줄 알았는데…… 내가 이렇게 무시를 당하나?

"……역시 이렇게 되는군."

화점의 성주가 어떤 이들이던가?

그들은 성공한 사업가 슈퍼스타, 우주 용병, 재벌, 기업의 대표, 고위 공무원이다.

그야말로 아쉬운 게 없는 존재들.

차라리 게임에서 이기는 게 쉽지…… 그들과 협상해 뭔가를 포기시키는 건 정말 쉬운 일이 아닐 것이다.

"아니 올마스터 나올 수는 있는 건가?"

아직 천원조차 정복이 안 되었다. 아르데니아를 말하는 게 아니라 리벤지의 천원도 그렇다.

'8명에 불과하던 신화급 플레이어가 대폭 늘은 지금조

차도 그렇지.'

실제로 천원에 위치한 [죽음의 신전] 헬모드는 이미 몇 번이나 클리어 된 상황임에도 천원은 정복이 안 된다.

공성전에서 매번 실패하기 때문이다.

'플레이어들의 역량은 충분하지.'

당연한 일이다. 신화급 유저가 대폭 늘었으니 그들이 힘을 합치기만 한다면 천원이고 뭐고 내일 당장이라도 정복되겠지.

문제는 그렇게 정복한 천원을 누가 먹느냐는 것!

그게 협상이 안 돼서 천원조차 못 먹고 있는데 한 명의 플레이어가 5개의 화점을 정복한다?

천원의 공성전을 안 도와주는 정도를 넘어 방해하는 플레이어까지 나오는 미친 상황에?

"악랄하다, 악랄해……."

농담이 아니라 몇 년이 지나도 올마스터가 탄생하지 않을지도 모른다. 네메시스 소프트는 상위 콘텐츠를 내놨지만 그것이 자체적으로 길게 미뤄지는 상황이 되는 것이다.

다만.

다만…….

"흠."

그건 리벤지의 상황.

내 상황은 전혀 다르다.

"아니, 이거…… 이미."

어이가 없어서 헛웃음이 나온다.

"내 건데?"

9개의 화점 중 과반수 정도가 아니라 천원을 제외한 모든 화점을 정복한 상태가 아니던가?

실실거리고 있는 내게 리벤지의 귓말이 온다.

우주최강미남(귓속말) : 님. 혹시 올마스터 노릴 생각?

킬리언스(귓속말) : 아니 그냥 포기하려고.

우주최강미남(귓속말) : 오 그래? 왠지 노릴 거 같은 분위기더니.

성재 녀석이 잘 보긴 했다. 만약 과금으로 해결하는 종류였다면 어차피 세금도 해결할 겸 노릴 생각이었으니까.

그러나 과금보다는 정치력이 필요한. 게다가 이미 아르데니아에서 가지고 있는 올마스터를 굳이 리벤지에서도 얻을 필요는 없다.

"……로그인."

아르데니아로 들어간다.

[또. 또 왔다 갔다.]

[이번에는 꽤 있다 온 것 같군.]

[아무래도 상관없다. 오히려 지키기 편하다는 점에서

는 좋을 수도 있지.]

12마리의 초월급 몬스터들이 수군거린다.

고오오…….

마력이 일어나고 호신강기가 둘러진다. 내가 현실에 갔다 왔으니 뭔가 공격 방법을 찾은 걸 수도 있다고 예상한 모양.

그러나 무시하고 중얼거린다. 외부에서는 관측이 불가능할 정도로 작은 소리인 데다 입을 벌리지도 않아 입모양도 볼 수 없는 속삭임이다.

"올마스터…… 업데이트."

소유율 : 0.3% 미만

활용 가능 : 27,121.

속삭임과 동시에 소유율과 활용 가능한 흥행력이 표시된다.

27,121의 흥행력은 삽시간에 0이 되었다가 원상태로 돌아온다.

"……아, 제길."

[이봐? 뭘 하는 거지?]

"로그아웃."

들려오는 말을 무시하고 지구로 돌아온다.

"후."

한숨이 나온다.

물론 단숨에 올마스터를 업데이트 할 수 있으리라고는 생각하지 않았다.

이러니저러니 해도 중급 초월자. 아무리 리벤지의 덩치가 크다 해도 고작 0.2퍼센트의 소유율로 뭘 할 수 있겠는가?

하지만 그렇다 해도.

"포인트 소멸이 너무 빨랐는데……."

2만 7121포인트에 달하는 흥행력이 0이 되기까지의 시간이 너무나 짧았다.

"체다, 계산기 좀."

"야옹."

체다의 배를 두들긴다. 필요한 흥행력이 2만이어도 10만이어도 0을 찍고 돌아오는 건 똑같지만 줄어드는 속도가 다르니 그 차이를 감안하면 업데이트에 필요한 과금력을 대략 가늠할 수 있다.

모자란 건 똑같아도 목적지가 다르다 보니 나타나는 차이.

그리고 그렇게 나온 결과는.

"345만 포인트……."

정확하지는 않지만 오차 범위는 1% 안쪽.

벌써 이 수치만 해도 대충 느낌이 오지만…… 절망을 해도 확실한 수치 앞에서 절망하는 게 나을 것이다.

주식 앱을 켠다.

네메시스 - 20,000,210원(+122,310원)↑

"미친…… 진짜 미쳤네. 한 주에 2천만 원……."

주식 다 팔고 그냥 호의호식하며 살까 하는 생각이 들 정도로 미쳐 버린 주가.

딱 2천만 원대라 계산은 쉬워서 다행이라는 웃지 못 할 생각을 하며 계산을 완료한다.

결과는 이랬다.

"내가 지금 127분의 1을 가지고 있군. 내 소유율이 0.2퍼센트니 리벤지의 주식 중…… 약 25%를 들고 있어야 한다는 뜻이고……."

차분하게 계산한다.

어차피 정확한 수치는 필요 없다. 대략적인 수치만 나오면 상관없는 상태.

결과는 어렵지 않게 나온다.

"즉, 내가 올마스터를 업데이트하는 데 필요한 흥행력을 주식 수로 따지면."

598만 주.

"그걸 다시 현금으로 따지면……."

거기까지 계산하다 잠시 두통으로 머리를 짚는다.

사실 말이 안 되는 소리다. 극의지체의 초월자가 두통

이라니?

그러나 어째서인지 진짜로 머리가 아프다.

나는 메모장에 쓴 숫자를 다시 바라보았다.

거기에는 이렇게 쓰여 있다.

119,601,255,800,000.

즉.

119조 6천억 원.

"맙소사."

상식을 까마득히 벗어난 숫자에 헛웃음조차 나오지 않는다. 단순히 조 단위만 해도 감이 안 오는데, 120조라니.

어지간한 국가의 1년 예산에 맞먹는 돈이다. 엔간한 기업은 통째로 사 버릴 수 있고 어떻게 잘 고르면 테라급 전함마저 살 수 있는 돈.

주인을 고르는 데 까다로운 버전의 기가스라면, 대우주를 통틀어도 1,000대가 안 된다는 성(星)급마저 살 수 있다.

'말이 안 돼. 아무리 나라도 단기간에 노려볼 수준이 아냐.'

이 정도 돈이면 아무리 초월자라고 해도 감당할 어렵다.

실제로 운명 마탑의 주인. 대마법사 럭키 스트라이크는 주식으로 300조를 꼴아 박았다가 아직까지 그걸 복구하지 못해 [초월 노예]라는 웃기지도 않는 이명을 가지고 있는 상황이 아니던가?

"하."

그러나 이내 한숨 쉰다.

"벌고 생각해지……."

일단은 그 방법밖에 없다.

주가를 조작하거나 무력을 사용해 재물을 탈취하는 몇 가지 방법이 있었지만 정의신과 진실신이 눈을 시퍼렇게 뜨고 있는 34지구에서 그런 짓을 할 수는 없다.

무엇보다 내가 그러고 싶지 않았다.

팟!

용병 등록증에 내장된 주문으로 단번에 용병 관리청으로 이동한다. 하루라도 빨리 임무를 따기 위해서였지만…… 천현일 용병청장으로부터 뜻밖의 말을 들었다.

"없다."

단호한 말에 당황한다.

"뭐라고요?"

"없다고. 임무가 떨어졌어."

"아니 그게 무슨……."

말도 안 되는 소리다. 다른 때도 아니고 몬스터 사태로 온 우주가 신음하는 지금 어떻게 임무가 떨어질 수가 있겠는가? 그 어떤 것보다 군사력과 무력이 중요한 이 시국에?

그러나 천현일 청장은 뭐가 이상하냐는 듯 되물었다.

"아니, 그럼 무슨 의뢰가 끝도 없이 나올 줄 알았어? 34지구의 우주 용병은 아주 비싸. 고객분들 주머니가 텅텅 비고 있는데 어떻게 의뢰를 넣겠어?"

"아……."

현실은 게임과 달라서 반복 퀘스트처럼 끊임없이 일이 날아올 수 없다. 특히나 페이가 비싼 걸로 유명한 우주 용병 일은 특히나 그러하다.

"물론 일 자체는 얼마든지 있다. 재능 기부 형식으로 해 볼래?"

"아무리 그래도 그건 좀……."

나는 싸우고 싶어서라거나 선행을 쌓고 싶어서 우주 용병이 된 게 아니다.,

목적은 철저히 돈!

그런데 120조를 향한 길을 나아가야 할 이때 재능 기부라니.

"그래도 부유한 고객들이 있을 텐데요?"

"노블레스나 엘로힘 같은 녀석들 말이지? 다들 자체적으로 막을 방법을 찾아낸 상태다."

몬스터 사태는 그야말로 미증유의 재앙이었지만 대우주 또한 일방적으로 당하기만 할 정도로 만만한 존재들이 아니다.

당장 34지구만 해도 일정 거리 안에 리젠되는 몬스터를 한 곳으로 몰아넣는 유도 장치를 발명했고 비슷한 발명품이 대우주 이곳저곳에서 튀어나왔다.

드높은 기술력과 인재들을 갖춘 세력들은 차원을 뚫고 튀어나오는 몬스터들을 유도하는 방식을 찾아냈고 녀석들을 우주 한가운데로 불러내는 방식으로 처리하고 있었다.

도시 한가운데, 우주선 안쪽에 몬스터가 등장한다면 재앙도 이런 재앙이 없지만 우주 한가운데 떨어진다면 상대할 만하거나 알아서 자멸하는 게 현실.

인구를 한 장소에 집결시키고 그 주위의 좌표를 틀어막으면 몬스터들의 공격 자체를 막을 수 있다.

"즉, 자신들의 영역을 완전히 커버하지 못하는 문명들만 용병이 필요하고."

"그리고 그들은 돈이 없지."

"하아……."

예상 못한 상황에 한숨 쉬고 있을 때였다.

"그래서 말인데."

현일은 책상 위에 놓여 있던 서류 중 몇 장을 꺼내 내게 내밀었다.

"정부에서 주변 문명을 위한 우주 평화군을 모집하고 있더군. 너는 강력한 전투 초월자이니 참여하면 높은 대우를 받을 수 있을 거야."

"우주 평화군이라니……."

고작 한 개의 문명이 내걸기에는 과분한 명칭이지만 그 대상이 34지구라면 불가능하지도 않은 일이다.

아직도 억 단위로 살아 있는 어르신들, 그리고 그보다 훨씬 많은 수의 기가스, 수십억이 넘는 마법사, 그리고 그 마법사들을 모두 고용할 만한 인프라까지.

한때 연합조차 어쩌지 못하던 우주 해적 바사라를 뭉개 놓았던 34지구의 저력이 다시 외부로 투사된다면 그 파급은 절대 작지 않을 것이다.

"장비도 짱짱하게 보급할 테고 이름도 널리 알릴 수 있을 거다. 돈도 좋지만 너 정도 급이면 그런 것도 필요하다. 공을 많이 세우면 초월병기 같은 걸 얻을 수 있을지도 모르지."

"아, 네……."

좋은 말에 고개를 끄덕였지만, 그럼에도 계약서를 보는 순간 마음이 짜게 식는다.

'페이가…….'

하기야 돈 벌려고 나가는 군대가 아니다. 굳이 말하자면 우주적 규모의 자원봉사라 할 수 있으리라.

경제적 이득보다는 명예와 영향력을 위한 행보.

"생각해 보죠."

"그래."

대화를 마치고 드래곤 스타로 돌아온다.

오룡이들은 콘서트 때문에 외출한 상태였다.

"어쩐다……."

용병 활동이 막힌 건 너무나 치명적이다. 고작 일주일 정도의 시간만으로 수백억 이상을 벌어들이는, 사실상 주 수입원이었기 때문이다.

물론 나는 지금도 많이 번다.

천 단위의 작품에서 들어오는 인세, 곡에서 나오는 저작권료, 광고비, 배우로서의 개런티, 예능 출연 등등.

그러나 아무리 많이 벌어 봤자 그거로는 1조도 벌기 힘들다. 지금까지 번 돈을 다 합쳐도 그럴 것이다.

"다른…… 방법을 찾아야 하나?"

벽에 가로막힌 기분이다. 열심히 일하는 것만으로는 도저히 도달할 수 없는 한계치를 마주한 느낌.

"빌려…… 볼까?"

심지어 그런 생각까지 들었다. 심지어 그게 꽤 가능성 있어 보인다는 것이 문제다.

나는 게임신의 사도이며 20대에 초월지경에 이른 우주적인 천재.

'적어도 외부에서 보기에 그렇지.'

그런 내가 내 미래를 저당 잡는다면, 당연히 큰돈을 융통할 수 있다. 설마 게임신의 사도인 내가 돈을 가지고 튀기야 하겠는가? 사람들은 믿고 돈을 맡겨 줄 것이다.

그리고 그렇게 돈을 빌리면.

'올 마스터가 돼서 갚으면 돼! 아, 따서 갚는다니까?'

잡생각을 하다 고개를 흔든다.

아무리 그래도 그렇지 100조가 넘는 돈을 빌린다는 건 위험하다.

120조를 빌리면 이자가 1%만 붙어도 1조 2,000억.

농담이 아니라 이자만 갚다가 인생 끝날 수 있다. 심지어 올 마스터를 얻는다고 내가 진짜 황제 클래스가 되는 건 아니지 않은가?

내가 비초월자일 때 신화 클래스를 얻었던 것과 마찬가지다. 전력을 극적으로 올리지만, 그렇다고 내 격(格)까지 올려 주지는 못한다.

"아니면……게임마스터님께 빌려 달라고 한다던지."

그런 생각까지 들었다. 솔직히 100조가 사람들한테나 거금이지 위대한 최상급 신에게는 푼돈에 불과하기 때문이다.

"하하. 미친 생각을."

헛웃음 짓는다. 궁지에 몰리니 별생각이 다 드는구나.

사람들은 내가 게임마스터의 사도라고 알지만 사실 그와 나는 아무 관계도 아니다. 굳이 관계라 한다면 그가 내게 이름을 빌려 줘 일방적으로 보호해 주고 초월병기까지 선물한 관계.

그런데 여기에서 돈까지 빌려 달라고 한다?

염치가 없다는 건 둘째 문제고 너무나 위험하다. 최상

급 신인 대하에게 안 좋은 이미지를 심어 주게 되기 때문이다.

"하…… 차라리 사랑한테 부탁할까. 네메시스에 입사해서 공동 대표 같은 걸로 이름을 올린다던가?"

그렇게 고민하고 있을 때였다.

팟!

느닷없이 배경이 변한다. 강제 텔레포트는 아니다. 어느새 내면세계로 들어와 있었다.

[아니, 뭐야 끌려 온 건가? 그런 것치고는 여기도 바다인데?]

소설책을 보고 있던 히페리온이 인상을 찌푸리며 자리에서 일어난다. 나 역시 인상을 찡그리며 팔에 차고 있는 제로섬을 바라보았다.

'방어할 수 없었어. 말하자면…… 확정 이벤트.'

나는 슬쩍 주변을 둘러보았다. 우리가 도착한 곳은 히페리온의 말대로 바다다. 섬이고 뭐고 아무것도 없는, 수평선이 보일 정도의 망망대해.

그러나 그렇다고 그게 텅 빈 세상은 아니다.

고개를 숙여 해수면 아래를 들여다보면, 그 깊이를 알 수 없는 심연(深淵)이 보인다. 심연 아래 헤엄치는 것들의 정체는 감히 가늠하기조차 힘들 정도다.

"내 내면 세계가 아냐."

[뭐? 그러면 누구…….]

히페리온이 당황할 때였다.

"킬리언스 형님! 오랜만입니다!"

해수면에서 은색 갑주를 입은 사내가 솟아오른다. 나를 보고 환히 웃는 얼굴은 낯설기만 하다.

그러다가 문득.

"……뭉개진 자루?"

"이제는 금낭(金囊)이라고 합니다. 잘 지내셨습니까!"

놀랍게도 녀석의 외향은 예전과 비교조차 할 수 없는 수준으로 변해 있었다.

외소하고 깡말랐던 몸은 다부진 근육질이 되었고, 거칠거칠하던 피부도 깔끔해졌다.

무엇보다 한 자루의 검과 권총, 신발과 목걸이에 투구까지 쓰고 있었는데 입고 있는 상체 갑옷을 포함해 모두가 아이템이다.

"잘 지냈지. 너도 잘 지냈나 보네."

"다 형님 덕분입니다! 실버 3까지 올랐어요!"

녀석의 말에 멈칫한다.

'아니…… 시간 많이 지난 것 같은데 아직도 실버?'

황당했지만 잘 생각해 보니 녀석이 들어간 게임이 문제다.

AOS.

자신과 동등한 챔피언과 싸우는 이 영원한 전장은 [죽음]을 기본 베이스로 깔고 있다.

오대오 팀전인데 단 한 번도 안 죽고 승리를 쌓아 간다는 건…… 보통 어려운 일이 아니리라.

"그런데 멀린은?"

"모르겠습니다. 저도 갑자기 불려 온……."

쿠릉!

"멀린인가?"

과연 내 말대로 차원이 찢어지며 멀린이 튀어나온다.

그런데 분위기가 묘하다.

쿠르르르-----!

멀린의 주위를 새파란 물줄기가 휘감고 있다. 단순한 물이 아니라 그 이상의 무언가. 뭐라 형언할 수 없는 신비(神秘)와 힘이 담겨 있는 그것은 마치 폭풍우 치는 바다처럼 일렁거린다.

그가 소리친다.

"킬리언스! 혹시 다크 메시아가 근처에 있어?"

"네? 아, 네……."

"공격해! 지금 즉시!"

"……갑자기요?"

"죽일 필요는 없어! 나중에 설명해 줄 테니까 어떻게 1분만 발을 묶어 봐! 로그인!"

고함과 동시에 멀린이 사라진다.

"……."

"……."

나와 뭉개진 자루. 아니, 금낭은 잠시 멍하니 있었다. 가만히 있던 히페리온이 떨떠름한 목소리로 말한다.

[뭔데…….]

그녀를 이제야 발견한 금낭이 깜짝 놀란다.

"악? 이 아가씨는 누구죠!?"

"아니 그건 됐고."

나는 왜인지 서로를 노려보는 금낭과 히페리온을 두고 생각했다.

'다크 메시아를 붙잡으라고?'

영문을 알 수 없는 일이었지만…… 그냥 따르기로 했다.

어차피 별 부담 없는 일이기 때문이다.

"로그인."

속삭임과 함께 배경이 변한다. 내면세계에서의 로그인은 신기할 정도로 부드럽게 실행되었다.

[또 왔군…… 음?]

[잠깐! 모두 조심!]

[이 녀석은 왜 또 덤빌 기색이야?]

등장과 동시에 자세를 낮추는 내 모습에 12마리의 몬스터들이 임전태세를 취한다.

그러거나 말거나 즉시 돌진한다.

쩌정!

느닷없이 모습을 드러낸 결계가 히페리온을 가로막는

다. 막대한 물리력과 이글거리는 검강에도 찢기지 않는 결계!

어느새 카드 한 장을 꺼낸 다크 메시아가 차갑게 웃는다.

[날 아주 우습게 보셨군요. 그 강력하던 일격도 아니고 이런 평범한 공격을 날리다니.]

"우습게 본 건 아닌데."

[하! 그게 아니면 이게 무슨 짓…… 음?]

어이없다는 표정으로 웃던 다크 메시아의 얼굴이 딱딱하게 굳는 순간.

나는 히페리온을 인벤토리에 넣고-

콱!

그리고 그대로 결계. 그리고 거기에 포함된 차원을 붙잡아 버렸다.

[큭!? 이게 뭐야!? 다들 도와줘! 이 녀석! 이 녀석을 떼 내!]

[뭐냐. 무슨 일인데?]

[왜 호들갑이지?]

갑자기 난동을 피우는 다크 메시아의 모습에 다른 몬스터들이 의문을 표한다. 그만큼 내 행동에 별다른 위협을 느끼지 못했다는 뜻이리라.

그러나 다크 메시아의 표정은 심각했다.

[빨리! 이 녀석을 떼어 내! 이탈! 이탈! 제길! 차원을 붙잡다니!]

우우웅---!

다크 메시아가 연신 카드를 발동시켰지만 달아나지 못한다. 내가 차원 그 자체를 붙잡고 있으니 그 어떤 이동 수단도 발동이 불가능한 것!

[무슨 짓을 하는 건지는 모르겠지만…… 떨어져라!]

[흡!]

양 옆에서 공격에 들어온다. 나는 이를 악물고 몸을 단단히 굳혔다.

촤악! 쩍!

전력을 다한 공격인 듯 검강이 피부와 근육을 가르고 들어왔지만 뼈를 끊어 내지는 못한다.

쩌적!

얼음 송곳이 옆구리를 꿰뚫었지만 역시나 버틸 만한 상처.

녀석들의 공격은 매서웠지만 아무런 준비 없이 나를 전투 불능에 빠트릴 타격은 절대 나올 수 없다.

[빨리! 빨리 녀석을 떼어 내! 어서 빨…….]

[아니, 대체 무슨 일인데 그 난리…….]

새하얗게 질린 다크 메시아와 당황하는 초월자들.

그리고 그때였다.

[게임 클리어(Game clear)! 게임이 클리어되었습니다!]

내 눈앞으로 난데없는 텍스트가 떠오른다.

[게임명 : 다크 스타.]

[아이디 : 멀린.]

그것은, 지금까지의 균형이 무너져 내리는 소리였다.

[아니 이게 무슨……!]

[아, 안 돼…….]

망연자실한 표정 그대로 다크 메시아가 사라져 버린다.

"로그아웃."

지구로 넘어간다.

치이익!

피가 바닥에 쏟아지자 뭔 공격을 당했던 건지 독한 연기가 난다. 몸속의 혈액이 단번에 산성(酸性)이 되었던 것!

보통의 인간이었다면, 아니 어지간한 괴물이라도 버티지 못했을 악랄한 주문이지만 극의지체의 혈관은 산성피도 문제없이 돌릴 수 있을 정도로 튼튼하다.

오히려 강기에 당한 상처가 더 문제지.

★☆전직 완료☆★

검신(신화) => 불사왕(신화)

"아이고……."

직업을 탱커로 변경, 자가 치유 특성을 활성화시킨 후 소파에 몸을 눕힌다. 오룡이들이 옆에 있었다면 그 엄청난 치유 마법으로 단숨에 해결해 줬겠지만 없으면 없는 대로 회복해야 한다.

"그나저나. 게임 클리어라……."

소파에 몸을 묻은 채 상황을 정리한다. 사실 말이 안 되는 소리다. 다크 스타는 온라인 게임이고, 온라인 게임이라는 것이 대체로 그러하듯 클리어라는 개념 자체가 없기 때문이다.

'즉, 다크 스타 자체의 시스템이 아니라는 말이다.'

내가 보았던 게임 클리어라는 문장은 다크 스타의 자체적인 시스템이 아닌 좀 더 포괄적인 개념일 것이다.

상황을 짐작하기는 어렵지 않다.

"최종 목표를 달성했군. 리벤지식으로 말하자면 천원을 먹어 모든 화점을 차지했다."

다크 스타에는 로드(Lord)라는 개념이 있다.

리벤지처럼 지역별 보스가 아닌 챕터별로 존재하는 보스들을 이르는 명칭.

다크 메시아는 그중에서도 마지막 챕터의 보스이다. 설정상 [진짜] 보스는 암흑의 혹성. [다크 스타] 자체겠지만 아직 업데이트 되지도 않았고 되었다 해도 그게 현실로 구현되는 건 불가능하겠지.

"그런데 최종 보스가 죽음의 신전으로 와 있었는데도 클리어가 가능한 건가?"

놀랍게도 멀린은 내가 다크 스타의 보스. 다크 메시아를 붙잡고 있는 동안 게임을 클리어 해 버렸다.

말하자면 꼼수를 쓴 것인데 그게 성공했다는 게 되레 신기하다.

"클리어 조건이 변경될 수도 있나?"

그러나 사실 진짜 이해가 안 가는 건 따로 있다.

"그보다 이게 시간축이 어떻게 되는 거지?"

잘 이해가 안 된다. 멀린도 나도 금낭도 각자의 게임 속에서 고유한 시간축을 가진 상황이 아니던가?

자신의 [안]에 세계를 품은 이상 외부 세계의 찰나조차 영원과 같은데 나와 멀린의 세계가 '상호 작용'을 하는 일 따위가 어떻게 가능하단 말인가?

'기묘해. 상식적으로 말이 안 된다.'

입자와 파동의 '현상'을 발견해 낸 물리학자처럼 인지 부조화가 온다.

그들과 다른 게 있다면, 그럼에도 짐작 가는 바가 없지는 않다는 것이다.

'[주관적인 관측자]가 없다면 말이지.'

"재연아! 나 왔어!"

그때 공간을 넘어 루비가 모습을 드러낸다.

그녀뿐 아니라 화려하게 차려입은 오룡이들이 내 주위

에 내려섰다.

"이런 부상이…… 재연 씨! 우리가 있을 때 하라니까요."

"아, 미안. 갑자기 진전이 있어서."

나는 이미 다 아문 상처에 남은 저주의 기운을 툭툭 털어 냈다.

그리고 생각한다.

'그렇군…… 진전이 있다.'

다크 메시아가 사라진 것은 단순히 12마리의 몬스터가 11마리가 된 정도의 문제가 아니다.

내 후퇴를 막던 임전무퇴(臨戰無退)의 사용자가 바로 다크 메시아였기 때문이다.

"진전이 있었어? 우리 그러면 14박 15일 가는 거야!?"

반색하는 루비의 모습에 그만 웃고 말았다.

"하하! 그래, 간다. 가. 성공하든 실패하든 갈 테니 좀 도와줄래?"

"응! 좋지! 일단 컨디션부터 끌어올리고…… 응?"

"어라?"

오룡이들이 동시에 멈칫한다. 의아해 묻는다.

"왜 그래?"

"아 느낌이…… 정확히 뭔 일인지는 모르겠어."

"그래도 이 정도면 뉴스 같은 거에 나오겠는데?"

영문을 알 수 없는 대화에에 고개를 가웃거린다.

"다들 무슨 소리를 하는 거야?"

"아, 설명하기 어려운데. 뭔가 크게 바뀌었어."

"스노우. 뭔지 알겠어?"

"나쁜 느낌은 아니지만…… 그래도 확인해야겠다. 타워. 긴급 방송 위주로 실행."

스노우의 말에 따라 널찍한 벽면에 수십 개의 화면이 떠오른다.

[정부는 강철계가 주도한 우주평화군 설립에 대하여…….]

[드래고니안의 14개 함선이 거주 요청을 함에 따라…….]

[몬스터로 오해 받아 파괴된 오우거형 골렘이 화제인데요. 정확한 판단을 위한 진실신의 사제가…….]

이런저런 뉴스들이 나온다. 플라워가 손을 뻗는다.

"저거다."

팟.

수십 개의 화면이 싹 사라지고 하나의 화면만이 남는다.

그것은 레온하르트 제국의 방송이었다.

[거주 구역을 습격하고 있던 다크 스타 타입의 미궁왕 토글이 비명과 함께 사라졌습니다! 천만다행인 일이지만 대체 무슨 일일까요?]

[다크 스타 타입의 몬스터가 일제히 소멸하고 있습니

다. 긴급 영상을 확인해 보겠습니다.]

화면에서 아나운서들이 사라지고 곡괭이를 든 거대한 괴물이 등장한다.

미궁왕 토글.

다크 스타에 존재하는 15마리의 로드 중 대지 속성을 가진 보스로 굳이 내 시점으로 보자면 신화급 랜드웜에 해당하는 존재다.

신화급 몬스터이지만 최종 보스는 아닌 존재.

녀석은 레온하르트 제국이 신경 쓰지 못하던, 정확히는 유도 장치나 방지망을 설치하지 못한 행성에서 난장을 치던 중이었다.

세상을 결국 예산이 지배하는 법.

몬스터를 막아 낼 수 있는 기술이 개발된다 해도…… 모든 문명이 보호 받는 건 당연히 불가능하다. 가난한 세력, 문명, 행성 등 취약한 장소는 얼마든지 있다.

콰광!

쿵!

[으아아! 살려 줘!]

[군대! 군대는 어디 있는 거야!?]

[이 개자식들! 세금을 그렇게 뜯어가면서!!!!]

도시가 무너지고 미궁을 이루는 석벽들이 몸을 일으키기 시작한다. 일종의 슬럼가로 보이는 도시에 초월급 몬스터를 막아 낼 강자가 있을 리 없으니, 미궁왕 토글은 그야말로 아무런 방해 없이 십만 명도 넘는 인간을 자신의 미궁으로 몰아넣는 상황.

그러나 어느 순간이었다.

[뭐!? 어, 어째서…….]

신나하던 토글이 당황스러운 신음과 함께 사라진다.

녀석뿐이 아니다.

다크 스타 출신의 보스는커녕 캐릭터조차 아닌 하수인(下手人) 출신 몬스터들이 싹 다 허공으로 녹듯이 사라진다.

몬스터들에게 공격 받고 있던 사람들이 어안이 벙벙한 표정으로 두리번거리는 모습이 보인다.

"뭐야. 몬스터들의 침략에 문제가 생긴 건가?"

"알 수 없지. 외계(外界)에 대해서 제대로 알고 있는 건 최상급 신들뿐이니……."

"일단 잘된 일이네. 유랑 다니던 노블레스들이 종종 당하는 상황이 나온다고 원로들이 걱정하던데."

오룡의 수군거림을 들으며 생각한다.

'클리어된 게임의 몬스터가…… 사라진다?'

사실 내가 죽음의 신전을 공략하는 건 아주 무책임하고 위험천만한 행동이다. 왜냐하면 내가 거기 머무는 만큼 몬스터가 더 많이 출몰하기 때문이다.

그저 천원을 정복하고 싶다는 [개인적인 욕망]을 위해 전 우주에 피해를 강요하는 것이나 다름없는 상황.

그럼에도 불구하고 했으면 한 번에 잘 클리어라도 했어야 했는데, 심지어 난 그러지 못했다. 녀석들에 발이 붙잡혀 대우주에 초월급 몬스터가 늘어나는 데 일조하기까지 하지 않았나?

내 행보는 지극히 이기적이며 이는 내가 공개적으로 주위에 도움을 청하지 못하는 이유다. 거짓을 입에 담고 사기를 친다면 또 모르겠지만 여기는 진실신과 정의신이 존재하는 34지구가 아니던가?

"휘하 문명 지키기 힘들다고 울상인 녀석들 많던데 다행이네."

"그래 봐야 열 개도 넘는 게임 중에 하나 사라진 정도지, 뭐."

"좋은 일이긴 한데 원인을 알 수가 없으니."

오룡이들이 대화를 나누는 도중에도 생각한다.

'클리어가 된 게임의 몬스터는 현실에서 사라진다…….'

"재연 씨?"

가만히 있는 내 모습에 플라워가 걱정된다는 표정으로 얼굴을 쓰다듬는다.

나는 그녀의 손을 잡아 웃어 보이고 말했다.

"그래. 어차피 25%를 사는 건 불가능할 거야. 가능하다 해도 아주 아주 먼 미래의 일이겠지."

"……네?"

영문을 모른다는 표정의 플라워를 보며 다시 웃는다.

'그래. 제기랄 120조가 말이야 막걸리야.'

어차피 단시간에 될 문제가 아니다. 올 마스터 클래스를 얻는다고 단숨에 황제 클래스가 되는 것도 아니다.

'기껏해야 초월무구 하나 얻는 정도지 뭐.'

그게 작은 일이란 건 아니지만 당장 급한 것도 아니다.

"재연아?"

"재연 씨?"

"뭐야? 표정 왜 이렇게 비장해?"

"무슨 일이라도 있는 건가?"

오룡이들이 다가와 묻는다.

나는 대답했다.

"희생이라기도 애매하지만…… 잠시 뜻을 좀 꺾어 보려고."

나는 원래 죽음의 신전에서 도주할 생각이었다. 내 후퇴를 막고 있던 다크 메시아 녀석이 사라졌으니 작정한다면 그리 어렵지도 않은 일.

그러나 지금. 생각이 바뀌었다.

"음?"

"무슨 말이야?"

영문 모를 말에 의아해하는 녀석들을 두고 체다를 두들겨 주식 앱을 조작한다.

잠시 후 모든 작업을 마치고는 이번엔 통화를 연결했다.

"안녕하십니까."

[오. 시대의 아이콘께 전화를 다 받아 보는군요.]

"아닙니다. 난데없는 통화인데 받아 주셔서 감사합니다."

나는 체다 너머의 상대를 향해 공손하게 말했다.

"천종명 대통령님."

* * *

몬스터는 아이템을 드랍한다.

우주에 엄청난 피해를 끼치는 몬스터가 그나마 처리되는 이유라고 할 수 있으리라. 아이템이라도 떨어지지 않았으면 피해만 끼치는 몬스터를 잡으려는 시도가 훨씬 적었을 테니까.

'나만큼 양심 없게 드랍률을 높일 수 있는 사람은 드물지만…… 관련 권능이나 마법이 없는 것도 아니지.'

확률을 조정하는 마법이나 권능은 드물지만 아예 없는 것도 아니다. 당장 나만 해도 혜영에게 행운이 올라가는 반지를 선물 받지 않았던가?

심지어 34지구에는 게임신의 사제들이 있다.

그들에게는 [드랍률 UP] 스킬이 존재하며, 그것은 내가 몬스터를 잡았을 때 아이템이 우수수 떨어져도 다른 용병들이 이상하게 여기지 않는 근거가 되었다.

"게다가 34지구는 몬스터표 아이템의 최대 수입 세력 중 하나죠."

[몬스터 사태로 안 그래도 심각하던 무역 균형이 아예 무너져 버렸으니까요. 피해를 입고 있는 문명에서 받아올 수 있는 물건에 한계가 있으니…… 그것들로라도 숫자를 채웠습니다. 덕분에 34문명은 몬스터 아이템을 가장 활발히 연구하는 문명이기도 하죠.]

천종명 대통령이 친절히 설명한다.

"그럼 아이템들이 많겠군요?"

[단일 세력 중에서는 저희와 비견될 곳은 드래고니아 정도일 겁니다. 온갖 귀물들을 쓸어간 드래고니아랑 다르게 잡동사니 중심이지만요.]

어떤 아이템은 현실에서 인게임보다 훨씬 큰 가치를 지닌다. 예를 들어 내가 쉘곤만 보면 절대 그냥 넘어가지 못하게 만드는 선구자의 가면의 경우는 그 어떤 궁극 마법. 권능조차 쉽게 구현할 수 없는 [부활]을 자동으로 발동시켜 준다.

그것 말고도 모든 병과 장애를 치유하는 엘릭서

(Elixir). 겉모습은 물론이고 성별마저 바꿔 주는 외모 변경권 등등.

이런 아이템은 일단 드랍되면 그 가치가 상상을 초월한다. 돈으로 구매하려면 절대 만만치 않은 금액이 필요하겠지.

반면 하등 쓸모없는 아이템들도 존재한다.

'아니 그 정도가 아니라…… 태반이 쓸모없지. 심지어 영웅급 전설급에서도.'

예를 들어 미라클 소드 같은 경우는 영웅급 아이템이다. 무기 데미지에 명중, 크리티컬이 달려 있고 매직 사일런스 효과가 있다. [공격 적중 시 3%확률로 5초간 침묵을 건다.]는 효과.

현실에서 이 무기의 가치는 어떨까?

'솔직히 총만도 못하지.'

당연한 일이다. 옵션 중 현실에 적용 안 되거나, 별 의미가 없는 효과가 태반이니 그냥 철검 정도의 가치밖에 없다고 할 수 있다.

"바로 그 쓸모없는 아이템이 필요합니다. 쓸모랑 상관없이 등급이 높으면 좋겠습니다."

[……어디에 그런 게 필요한 겁니까? 최고의 연구원들도 아직 제대로 된 활용법을 내놓지 못하는 상황인데.]

천종명 대통령의 당연한 의문에 당당히 답한다.

"게임 마스터님의 신기를 강화하는 데 필요합니다."

[아…….]

더 이상의 설명이 필요 없는 무적의 대답이다. 사실이기도 했고.

무엇보다 34지구에서 이 대답은 그야말로 모든 의혹에서 프리패스라 해도 무방하리라.

과연 천종명 대통령이 웃었다.

[하하하! 알겠습니다. 강철계와도 연계된 일이어서 난감했는데 그런 용무면 아무런 문제가 없지요. 직접 구할 수도 있을 텐데 굳이 연락한 걸 보니 수량이 많이 필요하겠지요?]

"네. 많을수록 좋습니다."

[걱정 말아도 될 겁니다. 아까 말했다시피 우주에서 가장 많은 물량을 가지고 있으니까요. 모두 원가에 처리해 드리지요.]

자신만만하게 웃는 천종명 대통령.

혹시나 몰라 물어보았다.

"저기 게임 마스터님의 신기를 강화할 거니 그냥 달라고 하면…… 염치없겠죠?"

내 물음에 체다 너머로 웃음소리가 들린다.

[하하하!]

유쾌한 웃음소리.

'혹시?'

[하하! 정말 염치없는 말씀이시군요. 당연히 안 됩니다.]

'쳇.'

역시나 씨알도 안 먹힌다. 역시나 세계 최강 대한민국의 대통령. 만만치 않다.

"그러면 할 수 없지요. 구매하겠습니다."

[얼마나 구매하시겠습니까? 괜히 하급자들 찔러 보지 마시고 저한테 바로 말씀해 주세요.]

"아, 그러니까……."

지잉.

그때 체다가 진동한다. 통화 중이었기에 발동한 진동 모드. 녀석의 털이 촤르르 늘어지며 글자를 만들어 낸다.

[스파이크 앱 알림!]

주식거래

네메시스 6만 6713주 판매 성공 / 주당 20,030,210원

"그러니까 대략."

그래. 지를 거면 확 질러야 한다.

"1조 3천억 치 정도."

[……]

그래, 지를 거면 확 질러야 한다.

오룡이 녀석들에게 양해를 구하고 돌아온 개인실이 잠시 침묵에 잠긴다.

체다가 입을 열었다.

[1조…… 3,000억 원 말입니까?"]

조금 당황한 듯 되묻는다. 그럴 만한 금액이었다. 무지막지하기로 유명한 대한민국의 예산을 주무르는 대통령조차 감히 개인 자격으론 꿈도 못 꿀 돈.

"열심히 일했죠. 주식이 많이 오르기도 했고요."

"재연 씨가 부지런히 일하기로 유명하긴 하지만…… 허허. 아무리 그래도 이건 정말 엄청나군요. 대한민국 입장에서는 좋습니다. 외부 문명들이 제대로 된 대금을 지불하지 못해서 떠안듯 받은 아이템들이 많거든요. 어디 보자 1조도 넘게 구매하신다면…… 제 권한으로 30% 할인을 해 드릴 수 있을 듯합니다."

아무래도 내 생각보다 아이템이 훨씬 많은 모양. 다만 짚고 넘어가야 할 게 있다.

"감사합니다. 아, 그보다 세금 문제는 괜찮을까요?"

주식을 사서 들고 있을 때는 상관없지만 그걸 팔아서 돈으로 만들면 세금이 발생한다.

주식 거래로 본 이득도 '수익' 처리하기 때문이다.

'잃으면 손실을 보전해 주는 것도 아니면서!'

그런 불만이 없는 것도 아니지만 어쨌든 세금이 존재한다. 세율은 그리 심하진 않지만…… 그 규모가 조 단위면 이야기다 다르다.

"아, 국가와 거래하는 것이니 배려해 드릴 만하죠. 솔직히 처치 불가한 종류도 많았는데 1조 원 넘게 구매해 주신다니."
국고가 늘어나는 셈이니 배려가 가능한 모양이다.
"다만 정부가 하는 일이 다 그렇듯 외부에 공표해야 합니다."
천종명 대통령의 말에 쓰게 웃었다.
"뭐…… 그거야 각오하고 있습니다."
그리고 과연 그 말대로였다.

* * *

[8,000억 이익의 전설적인 투자자?]
[위대하고 위대하신 게임신의 사도 한재연, 리벤지 주식 팔아 8,000억 이익 챙겼다.]
[배대표와 불화? 리벤지 '사랑' 한재연, 네메시스 주식 8,000억에 모두 판 사연은?]

짐작하던 대로 내가 주식을 판 것에 대한 기사가 무수히 쏟아져 나왔다.
'하기야 연예부 기사가 다 그렇지 뭐.'
어느 연예인이 어디에 건물을 샀다. 땅값이 올라서 얼마 이득이라더라. 투자를 했는데 실패해서 얼마 손해라더라 하는 이야기는 연예부의 단골 소재다.
개인의 투자 정보를 멋대로 까는 셈이지만 연예인이라

는 게 원래 이 정도는 감수하며 사는 직업.

반응은 뜨거웠다.

ㄴ호롤롤로 : 와, 주식 투자로 차익이 8,000억? 투자의 귀재여도 이건 말이 안 되는 수준 아니냐?

ㄴ써쓰멍멍 : 아니 그보다 주식 투자로 8,000억을 벌려면 시드머니가 얼마였던 겨 ㅋㅋㅋㅋ 와 진짜 돈 개많구나.

ㄴ미네랄 : 재연이 초월자 치곤 일 엄청 많이 하는 스타일이긴 하지. 영화에 예능에 다큐에…… 심지어 그 사이사이에 우주 용병도 엄청 뛴다면서?

ㄴ기가스맨 : 초월자가 대단하긴 하다. 맨주먹으로 시작해서 조 단위라니…… 아니 솔직히 재벌 회장도 쉽게 벌 돈이 아닌데.

ㄴ써쓰멍멍 : 그나저나 주식 투자 내역 봐…… 몰빵도 이런 몰빵이 없네 미친ㅋㅋㅋㅋㅋ. 아니 무슨 주식을 이렇게 해?

ㄴ모콕콕 : 그래서 님 수익률이?

ㄴ써쓰멍멍 : 그런 거 묻지 마 흑흑 ㅠㅠ 8,000억 이득 너무 부럽고 ㅠㅠ

애초에 숨길 수가 없는 일이다. 움직인 돈의 규모가 그만큼 엄청나기 때문이다.

말이 좋아 8,000억 수익이지, 이만한 수익을 뽑아내는 투자자는 결코 흔치 않다. 그게 개인이라면 더더욱 그렇다.

그리고 그렇게 번 수익으로.

[신원 체크 완료, 입장을 허가합니다.]

[방문을 환영합니다, 한재연 님.]

나는 쇼핑을 시작했다.

[F구역입니다. 가장 낮은 등급이지만 생각보다 수량이 많지는 않죠. 58만 3천 점입니다.]

맨 처음 마주한 것은 흔히 말하는 '잡템'이다. 화살, 총알, 레시피 조각 등의 아이템들은 말이 좋아 아이템이지 쓰레기보다 조금 나은 수준에 불과하다.

개중에 쓸 만한 아이템. 예를 들어 힐링 포션 같은 경우는 대체로 몬스터 사태의 피해를 수습하기 위해 사용되었기에 상품이 거의 없다.

대체로 사용처가 애매하다고 평가받는 게 게임 아이템이지만, 효과가 즉시 확인되는 포션류는 다르다. 식약처와 약협이 질겁하겠지만 당장 부상자가 많은 상황에서 어찌 포션을 안 쓸 수 있겠는가?

"가격을 파격적으로 잡아 주신다면 대량으로 구매할 수 있긴 합니다만…… 일단은 더 상위 등급을 보고 싶군요."

[이동합니다.]

공간이 일렁이고 새로운 창고에 도착한다.

[E구역입니다. 일반적으로 가장 많이 드랍되는 물건들이지요. 마력을 품고 있는 경우가 드물고 물건의 품질도 좋지 않습니다.]

평범한 철검, 낡은 권총, 너덜거리는 장갑 등의 물건들.

"수량은 어떻게 됩니까?"

[158만 9천 점입니다.]

"더 상위 템으로 부탁드립니다."

나는 계속 보관 보관소의 등급을 올렸다.

비교적 양질의 물건, 혹은 형편없는 물건이라도 미약한 영능이 깃든 고급 등급이 자리하고 있는 D구역.

명품(名品)급 장비나 본격적인 마법 물품이 등장하는 희귀 등급들이 자리하고 있는 C구역.

그리고 본격적으로 강력하거나 특이한 효과가 붙어있는 영웅급 아이템들이 자리한 B구역까지.

'라지만 대체로 쓸모없군.'

그렇다. 이곳에는 대체적으로 쓸모없는 물건들이 모여 있었다. 몬스터들의 공격에 큰 피해를 입은 문명들이 넘겨준 아이템들이다 보니 당장 쓸 만한 물건은 제외하고 보내 주는 게 일반적이기 때문이다.

그나마 현실에서도 쓸 만한 것들은 34지구에서 죽었거

나 우주 용병들이 직접 잡은 몬스터들이 드랍한 것이다.

그리고 그렇게 등급을 올리고 올려 마침내 고급스러운 분위기의 보관실에 도착한다.

[A구역입니다. 초월급 몬스터들이 주로 드랍하는 물건들이라 수량 자체가 그리 많지 않습니다. 간혹 물리 법칙이나 상식을 무시하는 것들이 나오기도 합니다.]

34지구의 전설적인 AI. 게임 마스터의 부관으로 유명한 [지니]의 설명을 들으며 물건들을 살핀다.

적당히 쌓여 있던 하위 등급의 아이템들과 달리 A구역의 아이템들은 개별로 포장되어 테이블 위에 놓여 있다.

'전설 등급…….'

[수량은 2,311점입니다.]

그건 상상 이상의 숫자다. 대우주에 등장한 초월급 몬스터가 얼마나 많았는지에 대한 반증이기도 하다.

나는 물건들을 살폈다.

[흑왕의 대검][고대]

새까만 운철로 만들어진 대검. 중력의 힘을 품고 있다.

고대에 낙하한 운석에서 태어난 흑왕이 쓰던 무기이다.

무기 유형 : 대검(표준/관통)

공격력 : 300. 마력 : 100

스텟 보정 : 근력(B). 기량(D). 지력(C).

전투 기술 : 중력 우물.

'현실에서는 별 의미가 없는 옵션의 물건들이군.'

게임 아이템들의 [공격력]이나 [방어력] 등은 현실에서 하등 쓸모가 없다. [플레이어]가 아닌 이상 옵션들이 제대로 적용되지 않기 때문이다.

그나마 저 '전투 기술'이라는 게 쓸모가 있을지도 모르지만.

[아. 저 중력 우물의 경우는 사용자에게도 피해를 입힙니다.]

"역시 그렇게 되는군요."

게임에서야 광역 기술이 나가도 상관없다. [게임적 허용]으로 인해 본인에게는 아무런 피해가 없기 때문.

그러나 원거리 무기도 아니고 검 같은 근거리 무기에서 범위 기술이 발동되면 어찌 사용자가 무사할 수 있겠는가?

'괜히 떠넘기듯 하는 게 아니지.'

물론 모든 아이템이 다 그런 건 아니다.

[시간 초월의 가면(유물)]

속도+50%

스트레스+15%

너무나 심플한 이 옵션은 현실에서도 적용된다.

공격력이라는 개념은 현실에서 아무런 의미가 없는 반면 퍼센트 효과는 적용되기 때문이다.

"가격이 천차만별이군요."

[옵션과 아이템의 구조에 따라 쓸모가 완전히 달라지니까요.]

어떤 전설급 장비의 가격은 고작 87만 원인 반면 어떤 장비의 가격은 10억이 넘었다. 전설급 정도 되는 아이템이 현실에서 온전히 쓸 수 있다면 고위 마법기 이상의 가치를 가지기에 벌어지는 일이다.

'이마저도 진짜 괜찮은 것들은 빠진 다음이겠지.'

나는 가격이 저렴한 순으로 물건들을 고른 뒤 말했다.

"이 위도 있겠죠?"

[네.]

팟!

다시 공간을 이동한다. 어느새 난 그리 크지 않은 방에 도착해 있었다.

[S구역입니다. 초월급 몬스터들에게서도 아주 드물게 떨어지는 물건이죠. 가끔 정말 상식을 벗어나는 물건들이 있지만…… 그런 것들은 이미 팔리거나 주인을 찾아가고 여기에 있는 것은 나머지 물건들입니다.]

"……."

나는 가만히 물건들을 살폈다.

'신화급.'

[보다시피 수량은 7점입니다.]

내가 가진 신화급보다 더 많은 수량이다.

리벤지 출신 1점과 나머지 6점.

[불침의 성벽(신화)]
방어력 +45
자동 방어 +5
스킬 데미지 증폭+15%
[초월 무구]
[공격 차단]
[초월-불굴의 성채][비활성]
[불사의 증거(궁극)(패시브)][비활성]
재질 : 진(眞). 아다만티움(손상 불가)(신성)

'신화 갑주!'

절로 미소가 피어오른다. 리벤지 물건을 아르데니아에서 꺼내려면 업데이트가 필요해 자제하고 있었는데 이게 드랍으로 떨어지다니?

물론 노강이라는 문제가 있지만 강화야 하면 그만이다.

'당연히 무조건 산다.'

12마리, 아니, 이게 11마리의 신화급과 싸우는 데 유의미한 전력 상승을 일으킬 것이다.

나머지 물건들도 확인한다.

[기하학적 타도(우주적)]
[새벽 여신의 드레스(서사)]
[불멸의 철갑궁(20레벨)]
[태양 불꽃 건틀렛(20레벨)]

하나하나 설명을 읽는다. 안 좋은 물건들을 모아 둔만큼 [플레이어]인 나조차 쓸 수 없는 것들이 많았지만 쓸 만한 것들도 있다.

너무나 당연한 말이지만, 가장 중요한 요소는 [가격]이다. 현실에서 아예 쓸데가 없는 쓰레기 같은 아이템이라도 제로섬에 먹일 때에는 다른 신화급과 똑같은 점수로 치환되기 때문이다.

"불침의 성벽. 새벽 여신의 드레스. 태양 불꽃 건틀렛 이렇게 사겠습니다."

[훌륭한 판단이십니다. 고호객님.]

"왠지 호갱님이라고 한 거 같은데."

[호호. 그럴 리가요.]

지니와 농담 따먹기를 하며 제로섬을 확인한다.

[제로섬(zero-sum)]
이득과 손해를 합치면 제로가 된다.

[드랍 조정 3단계] 영웅 이상의 아이템을 획득할 시, 그것을 없던 일로 하는 대신 그 확률을 저장한다.

저장된 확률은 원하는 시기에 발동 가능.

4단계 상승까지 99,988포인트 필요.

[이벤트 조정 2단계]

중형 이벤트 발생 시, 그것을 없던 일로 하고 대신 그 확률을 저장한다.

2단계 상승까지 1억 포인트 필요.

[변수 조정 1단계]

[개방에 1,000만 포인트 필요.]

게임신 관대하에게 받은 초월병기(超越兵器).

말이 좋아 병기지 사실 병기로 사용한 적은 없다. 내게 가장 중요한 건 어디까지나 드랍 조정이었기 때문이다.

성장도 시키지 않았다.

'왜냐하면 일반 고급 이렇게 올라가는 게 아니라…… 신화 전설 이렇게 내려가는 방식이니까.'

내가 저장하고 싶은 아이템 등급은 신화와 전설급이지 희귀, 고급, 일반 등급 따위가 아니다. 별 필요도 없는 기능을 위해 수천수만, 심하게는 수십 수백만 단위의 아이템을 어찌 갈아 넣을 수 있겠는가?

그러나 아르데니아의 아이템들보다 훨씬 효율이 좋은 현실의 아이템들을 산더미처럼 구매할 수 있는 지금은 상황이 전혀 다르다.

"A구역에서는 낮은 가격순으로 사겠습니다. B구역도 C구역도 마찬가지입니다."

대량으로 아이템을 구매한다.

신화 전설을 제외하고 기준은 무조건 가격.

가장 싼 아이템을 선택한 후 한곳으로 몰아 초월병기 제로섬을 작동시킨다.

웅!

산처럼 쌓여 있던 아이템들이 한순간 흐릿해지더니 그대로 뭉개지기 시작한다.

[불화살][불][화살][ㅂ][ㅜ][ㄹ][ㅎ][ㅗ][ㅏ]…….

[강철검][강][철][검][ㄱ][ㅏ][ㅇ][ㅊ][ㅓ][ㄹ]…….

[새벽 여신의 드레스][새][벽][여][신][의][드][레][스]…….

멀쩡하던 물질이 흩어져 텍스트로 변한다. 텍스트들은 마치 바람에 휩쓸린 흙먼지처럼 흩뿌려졌다.

파파팟!

텍스트가 제로섬에 빨려 들어가기 시작하자, 산처럼 쌓여 있던 아이템이 삽시간에 줄어든다.

[102][202][1202][2202][3202]……

아르데니아산 아이템은 고급 등급을 먹여야 1포인트, 희귀 등급을 먹여야 10포인트에 불과하지만.

현실의 몬스터가 드랍한 아이템을 먹이면 일반 등급을 먹여도 100포인트가 오른다.

무려 1,000배의 효율.

'물론 그렇다고 해도 제로섬의 포인트 소모는 결코 만만치 않지만.'

단계가 올라감에 따라 10배씩 필요 포인트가 늘어나는 제로섬의 포인트는 총 6단계까지 있으며…… 그 소모는 만, 억을 넘어 조 단위에 이른다.

내가 괜히 성장을 포기하고 지금껏 내버려 둔 게 아니다.

'하지만 이제는 상관없다.'

왜냐하면, 1조 3천억을 썼기 때문이다.

[와. 대단하군요.]

지니가 놀라워한다.

[그 엄청난 분량이 다 없어지다니…….]

나는 지니의 말을 무시하고는 내 팔에 걸린 시계를 바라보았다.

제로섬의 설명은 완전히 달라져 있다.

[운명 선택.]

운명을 관측하고, 선택한다.

극도로 심플해진 설명을 보다가 말한다.

“잠시 신기의 성능을 확인해 보려고 하는데. 혹시 여기에 치유 시설은 괜찮은 편입니까?”

[네? 아, 네. 물론이죠. 여기는 강철계입니다. 하지만 신기 성능을 확인하는데 치유 시설은 왜…….]

지니가 의아해하거나 말거나 속삭인다.

“로그인.”

단숨에 아르데니아로 들어간다.

꽤 시간이 지난 현실과 달리 찰나의 시간 만이 지난 그곳은 여전히 혼돈의 도가니다.

[이게 무슨 말이야!? 게임 클리어? 어떻게 게임 클리어라는 게 있을 수 있어?]

[제길, 설마 다크 스타가 완전히 닫혀 버린 건 아니겠지?]

[연결이 끊겼소. 이게 무슨…….]

신음과 비명을 토하는 몬스터들을 보며 인벤토리를 조작한다.

팟!

백색의 중갑, 불침의 성벽을 걸치자, 혼란스러워 하던 몬스터들이 대번에 경계 태세를 취한다.

[너. 혼란스런 와중이라고 싸울 생각은 말아라. 하나가 사라졌다지만…… 우리는 여전히 11명이야. 설마 승기가 있다고 믿는 건가?]

나를 겁박하면서도 마검왕의 자세에는 빈틈이 없다. 초월자답지 않게 방심이라고는 조금도 없는 태도.

"당연히 있지 이것들아."

그러나 나는 녀석들을 보며 미소 지었다.

"1조 3000억을 썼는데."

자본주의의 힘을 보여 줄 때였다.

(열일하는 과금 기사 11권에서 계속)